PARA PRINCIPIANTES
Darian Leader y Judy Groves
Editado por Richard Appignanesi
ERA NACIENTE / DOCUMENTOS ILUSTRADOS

Lacan para Principiantes©

Título en inglés: Introducing Lacan, publicado por Icon Books Ltd., Grange Road, Duxford, Cambridge CB24QF, United Kingdom.

Director de la serie: Juan Carlos Kreimer
Traducción: Leandro Wolfson
Supervisión: Silvia Elena Tendlarz

Para Principiantes®
es una colección de libros de
Era Naciente SRL
Fax: (5411) 4775-5018
Buenos Aires, Argentina
www.paraprincipiantes.com

Leader, Darian
Lacan para principiantes / Darian Leader ; ilustrado por Judy Groves - 1a ed. 5a reimp. - Buenos Aires : Era Naciente, 2008.
176 p. : il. ; 20x14 cm. (Para principiantes dirigida por Juan Carlos Augusto Kreimer)

Traducido por: Leandro Wolfson

ISBN 978-987-9065-22-8

1. Psicoanálisis I. Judy Groves, ilus. II. Leandro Wolfson, trad. III. Título.
CDD 150.195

Queda hecho el depósito que preve la Ley 11.723

ISBN: 978-987-9065-22-0

Esta edición de 3000 ejemplares se terminó de imprimir en la planta impresora de Sevagraf S.A., Buenos Aires, República Argentina, en marzo de 2008.

Ten cuidado con la imagen

Jacques Marie Emile Lacan nació el 13 de abril de 1901. Fue el primer hijo de Charles Marie Alfred Lacan y de Emilie Philippine Marie Baudry. Su padre era agente de ventas de un gran empresa de provincias en París. La familia vivió cómodamente en el Boulevard du Beaumarchais antes de mudarse al barrio de Montparnasse, donde Jacques ingresó en el College Stanislas, un prestigioso colegio católico.

DESSAUX
1 gT
DESSAUX
DESSAUX
1 gTs
DESSAUX
DESSAUX
DESSAUX
DESSAUX
1 gTs
DESSAUX
DESSAUX
SSAUX
DESSAUX
DESSAUX
DESSAUX

Alumno sobresaliente, se destacó sobre todo en teología y latín. Ya en su adolescencia se apasionó por la filosofía y adornó las paredes de su cuarto con el esquema de la estructura trazada por Spinoza para su ***Etica***. Este libro siempre fue uno de sus favoritos; más tarde lo citó al comienzo de la tesis para obtener su doctorado en medicina.

MIENTRAS LACAN SE EMPEÑABA EN TRAZAR EL ESQUEMA DE LA ETICA DE SPINOSA, EN
LAS PAREDES DEL CONSULTORIO DE FREUD EN VIENA, COLGABA ESTE CUADRO.

El Movimiento Surrealista

Lacan inició sus estudios de medicina en 1920 y se especializó en psiquiatría a partir de 1926. En este período participó activamente en París en el afanoso mundo de escritores, artistas e intelectuales que integraban el movimiento surrealista. Frecuentaba la librería de Adrienne Monnier en la margen izquierda del Sena, junto con autores de la talla de André Gide y Paul Claudel, y a los 17 años conoció allí a James Joyce.

Tres años después, yo estaba presente en la primera lectura pública de ULISES en la librería Shakespeare and Co.
JOYCE
BRETON

Amigo de André Breton y de Salvador Dalí, luego sería el médico personal de Picasso y desde comienzos de los años treinta colaboró en varias publicaciones surrealistas.

PICASSO
DALI
CLAUDEL
GIDE

Sus comienzos en Psiquiatría

Hizo el internado en el Hospital St. Anne en 1926 y en el Asilo Especial para Alienados de la Prefectura de Policía en 1928, donde se interesó particularmente por el estudio de la paranoia. Más tarde dijo que...

Mi único verdadero maestro en psiquiatría fue Gaëtan Gatian de Clérambault.

Lacan destacó su concepto del "**automatismo mental**", según el cual muchos fenómenos de la locura, en apariencia dispares, tenían como tema común **la imposición de algo desde "fuera"** del sujeto. Por ejemplo, los ecos de pensamientos o el comentario sobre las propias acciones.

La forma de una psicosis particular estaría determinada por el sentido conferido a elementos que carecían de un contenido inicial. Lacan dijo que esta idea fue la más próxima de la psiquiatría francesa contemporánea al análisis estructural, con su énfasis en la imposición de elementos formales que están más allá del control "consciente" del individuo.

Paranoia

En 1932, Lacan terminó su tesis doctoral, titulada ***De la Psicosis Paranoica en sus Relaciones con la personalidad***, estudio que tuvo mucha influencia en numerosos surrealistas.

MENCIONÉ LA OBRA DE LACAN EN EL PRIMER NÚMERO DE LA REVISTA SURREALISTA MINOTAURO, EN 1933 (SALVADOR DALÍ)

MINOTAURO

Colaboré bastante con MINOTAURO.

DEFENDÍ LA POESÍA DE AIMÉE, LA PACIENTE QUE LACAN DESCRIBIÓ EN SU TESIS DE 1932. (PAUL ELUARD)

El caso de Aimée

La tesis incluía un detallado análisis de una mujer llamada Aimée (igual que la heroína de una de sus novelas inéditas), quien había querido acuchillar a una conocida actriz parisina, Huguette Duflos. El caso tuvo gran resonancia en la prensa de la época, y Lacan procuró rastrear poco a poco el hilo lógico que había detrás de ese acto en apariencia irracional. Su tesis introdujo en el medio psiquiátrico un nuevo concepto, el de la **"paranoia de autopunición"**. Adujo que, al atacar a la actriz, en realidad Aimée se estaba atacando a sí misma. La Duflos representaba a una mujer libre y de gran prestigio social, exactamente lo que Aimée aspiraba a ser.

En sus ideas persecutorias, era esa figura la que ella veía como origen del peligro para ella y su pequeño hijo. Así, esa imagen ideal era a la vez objeto de su aspiración y de su odio. A Lacan le entusiasmó especialmente esta compleja relación entre las imágenes y la identidad que se daba en la paranoia. En su posterior arresto y reclusión, Aimée halló el castigo que había dado origen a su acto. En cierto nivel, entendía que ella misma era objeto de castigo.

LE PETIT JOURNAL
ILLUSTRÉ
3 Mai 1931 · N° 2106
PRIX : 60 CENTIMES
HEBDOMADAIRE · 42e Année
61, rue Lafayette, Paris
THEATRE St GEORGES
UNE FOLLE

El análisis de este caso por Lacan muestra muchos elementos que más tarde serían centrales en su obra: **el narcisismo, la imagen, el ideal,** y el modo en que la personalidad puede extenderse fuera del cuerpo y ser constituida en una compleja red social. La actriz representaba una parte de la propia Aimée, lo cual indicaba que la identidad de un ser humano puede incluir aspectos que están fuera de las fronteras biológicas del cuerpo. En cierto sentido, la identidad de **Aimée estaba fuera de ella**.

FREUD

Análisis

Por la misma época en que Lacan finalizó su tesis, comenzó a analizarse con Rudolph Loewenstein, con quien siguió hasta 1938. Lowenstein había sido analizado por Hans Sachs, discípulo de Freud.

LUEGO EMIGRÉ A LOS ESTADOS UNIDOS, DONDE LLEGUÉ A SER BIEN CONOCIDO POR ESTABLECER EL PROGRAMA DE LA PSICOLOGÍA DEL YO.

SACHS

LOEWENSTEIN

Estudios de Filosofía

Lacan no se limitaba a los textos convencionales de la psiquiatría y el psicoanálisis sino que leía de todo. Le atraían en particular las obras filosóficas de Karl Jaspers, G.W.F. Hegel y Martin Heidegger. Asistió a los seminarios sobre Hegel de Alexander Kojève junto con muchos pensadores que dejarían su huella en la vida intelectual francesa, como Georges Bataille, Raymond Aron, Pierre Klossowski y Raymond Queneau.

HEGEL
HEIDEGGER
BATAILLE
QUENEAU

Matrimonio

En 1934, Lacan se casó con Marie-Louise Blondin, hermana de su amigo el cirujano Sylvain Blondin. De este matrimonio nacieron tres hijos: Caroline en 1934, Thibaut en 1939 y Sibylle en 1940.

El Congreso de Marienbad

Lacan expuso por primera vez sus ideas en el congreso anual de la Asociación Psiconalítica Internacional celebrado en Marienbad en 1936, donde desarrolló la tesis del "**estadio del espejo**".

Pero el presidente de la sesión, Ernest Jones (el biógrafo de Freud), interrumpió mi ponencia.

El texto leído en esa oportunidad se perdió, pero la argumentación se presenta claramente en un brillante artículo sobre la familia que Lacan escribió en 1938 para la ***Encyclopédie Française***, junto con una versión posterior de su ponencia.

Teoría del estadio del espejo...

Los seres humanos nacen prematuramente. Librados a sí mismos, probablemente morirían. Al nacer no pueden caminar ni hablar, tienen un dominio apenas parcial de sus funciones motoras y son incompletos en el nivel biológico.

NO PUEDO RECOGER COSAS DEL SUELO, NI ACERCARME A UN OBJETO, NI ALEJARME DE ÉL.

¿Cómo llega el niño a dominar la relación con su cuerpo?
¿Cómo reacciona frente a su carácter "prematuro"?

... y del mimetismo

La respuesta de Lacan se encuentra en su teoría sobre el estadio del espejo. En textos posteriores llamó la atención sobre una curiosidad de la etología, conocida como "**mimetismo**".

Ciertos animales tienen el hábito de adoptar las figuras y colores de su entorno

Un insecto de la madera puede asemejarse a un trozo de madera. La explicación obvia de este hecho sería que así se protege de los predadores, pero muchos estudiosos comprobaron que los animales que adoptaban esta imagen o disfraz tenían la misma probabilidad que los otros de ser comidos.

A comienzos de la década de 1930 el gobierno norteamericano encargó el estudio, algo macabro, del estómago de unas 60.000 aves neárticas, a fin de confirmarlo contando los insectos que habían devorado. Se halló que los mimetizados aparecían con tanta frecuencia como sus compañeros más sinceros.

Si la biología de la evolución no da respuesta a la cuestión del mimetismo, si éste no obedece a la protección frente a los predadores, ¿cómo explicarlo?

Roger Caillois, pensador francés fascinado por el tema de las máscaras, los juegos y la relación entre el ser humano y el reino animal, adujo que había una suerte de ley natural por la cual **los organismos son capturados por su ambiente**. Toman, por ejemplo, el color del espacio circundante.

Capturado en una imagen

Lacan desarrolló su tesis combinándola con observaciones procedentes de la psicología infantil y la teoría sociológica, y sostuvo que había una forma similar de captura imaginaria del organismo por una imagen externa.

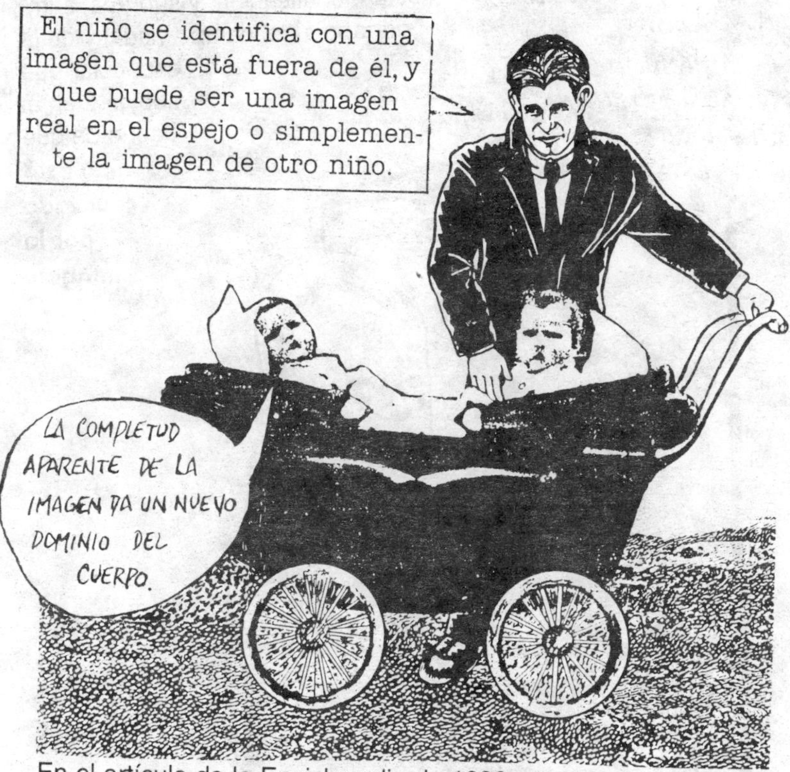
El niño se identifica con una imagen que está fuera de él, y que puede ser una imagen real en el espejo o simplemente la imagen de otro niño.
LA COMPLETUD APARENTE DE LA IMAGEN DA UN NUEVO DOMINIO DEL CUERPO.

En el artículo de la Enciclopedia de 1938, se recurre a esta idea para dar una brillante explicación de los inexplicables vaivenes de la conducta de los niños cuando pasan de una actitud tiránica o seductora a la opuesta. En vez de vincular esto con un conflicto entre dos individuos (el niño y el espectador, en este caso), Lacan afirma que deriva de un conflicto interno de cada uno, resultante de **una identificación con la otra parte**. Y no se trata de un momento aislado de la niñez, sino de un principio rector del desarrollo: si me identifico con una imagen externa a mí, puedo hacer cosas que antes no podía.

Lo imaginario

Para el dominio de las funciones motoras y el ingreso en el mundo humano del espacio y el movimiento, se paga pues como precio una alienación esencial. Lacan llama "lo imaginario" al registro en que tiene lugar esta identificación, y subraya la importancia del campo visual y de la relación especular que subyace en el hecho de que **el niño esté cautivado por la imagen.**

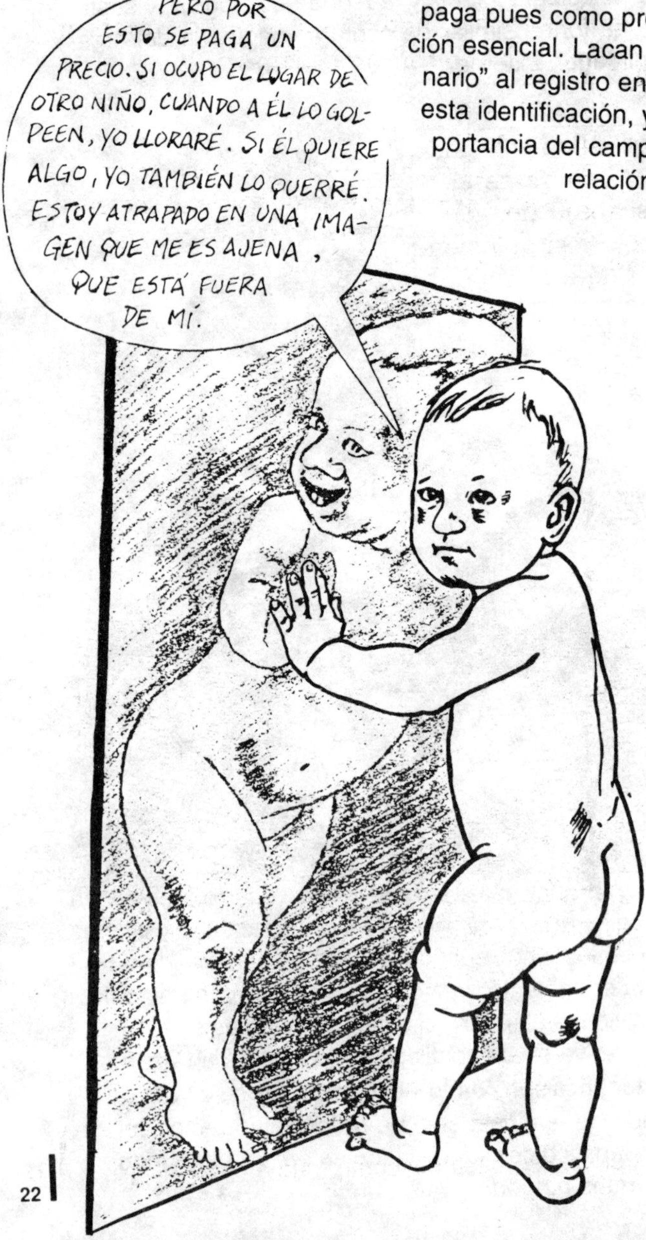

PERO POR ESTO SE PAGA UN PRECIO. SI OCUPO EL LUGAR DE OTRO NIÑO, CUANDO A ÉL LO GOLPEEN, YO LLORARÉ. SI ÉL QUIERE ALGO, YO TAMBIÉN LO QUERRÉ. ESTOY ATRAPADO EN UNA IMAGEN QUE ME ES AJENA, QUE ESTÁ FUERA DE MÍ.

Yo y alienación

Lacan muestra de qué manera esta alienación en la imagen guarda correspondencia con el Yo [moi]: **el Yo se constituye por una identificación alienante, basada en que inicialmente el cuerpo y el sistema nervioso son incompletos.**

Mi tesis respondió la pregunta planteada por Freud en su célebre trabajo de 1914 sobre el narcisismo.
Si el Yo es sede del narcisismo y éste no existe desde el comienzo de la vida, ¿qué debe pasar para que emerja?
PARA CONSTRUIR EL YO DEBE TENER LUGAR ALGÚN "NUEVO ACTO PSÍQUICO" PERO YO NO DIJE CUÁL.

Con su estadio del espejo, Lacan encontró una respuesta.

Alucinación negativa

Si bien el Yo parece íntegro y completo, más allá sólo se halla la fragmentación y falta de coordinación del cuerpo.

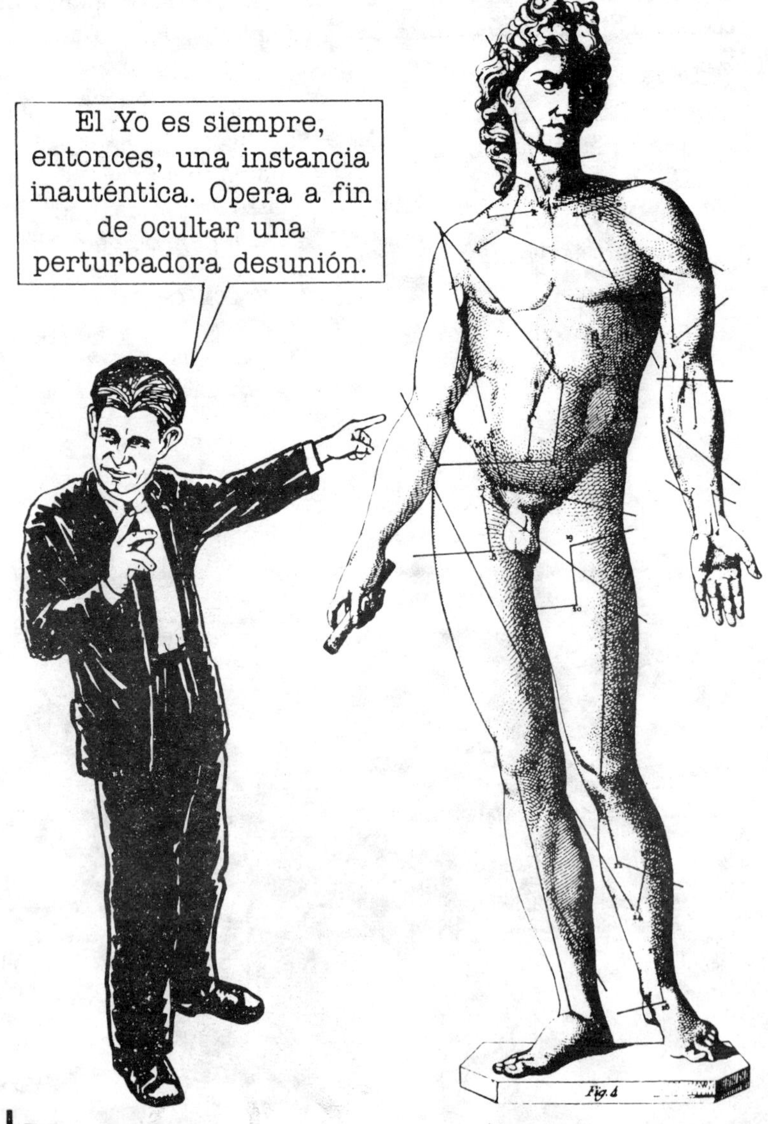
El Yo es siempre, entonces, una instancia inauténtica. Opera a fin de ocultar una perturbadora desunión.
Fig. 4

Esta concepción del yo retoma algunas de las ideas primitivas de Freud.

A Freud lo había intrigado el fenómeno conocido como **alucinación negativa**. Se hipnotizaba a un sujeto y se le decía, por ejemplo, que no había muebles en el cuarto, pidiéndole que trajese un objeto situado en el otro extremo.

SI SE LE PREGUNTABA POR QUÉ NO CAMINABA EN LÍNEA RECTA HACIA AHÍ, SINO DANDO UN CUIDADOSO RODEO (PRECISAMENTE PARA EVITAR LOS MUEBLES) CONTESTABA CON FALSEDADES.
ME CORRÍ PARA VER UN CUADRO EN LA PARED... VI A UNA AMIGA Y FUI HACIA ELLA...

El Yo falseador

O sea, se producían racionalizaciones de los actos del individuo hipnotizado, cuya función era encubrir la verdadera situación. Otros estudiosos ya habían llamado la atención sobre este **carácter falseador del Yo** pero sólo en el contexto de la alucinación negativa; en cambio, Freud y Lacan vieron en él una característica básica del Yo en todo momento.

Como sucede en el estadio del espejo, la tarea del Yo consiste en mantener una falsa apariencia de coherencia y completamiento.
ASÍ QUE EL ANÁLISIS DEBE DESCONFIAR DE LO QUE PROCEDE DEL ÁMBITO DEL YO, Y SUBVERTIRLO.

Cualquier teoría psicoanalítica que avalara una alianza o pacto entre el analista y el Yo del paciente tenía mal pronóstico, y sólo podía terminar en un engaño mutuo.

En la primera parte de la obra de Lacan, el sujeto humano oscila entre dos polos: **la imagen enajenante y el cuerpo real fragmentado**. En sus trabajos de los años treinta y comienzos de los cuarenta, Lacan procuró mostrar la presencia de estas imágenes del cuerpo fragmentado en los complejos psicoanalíticos clásicos.

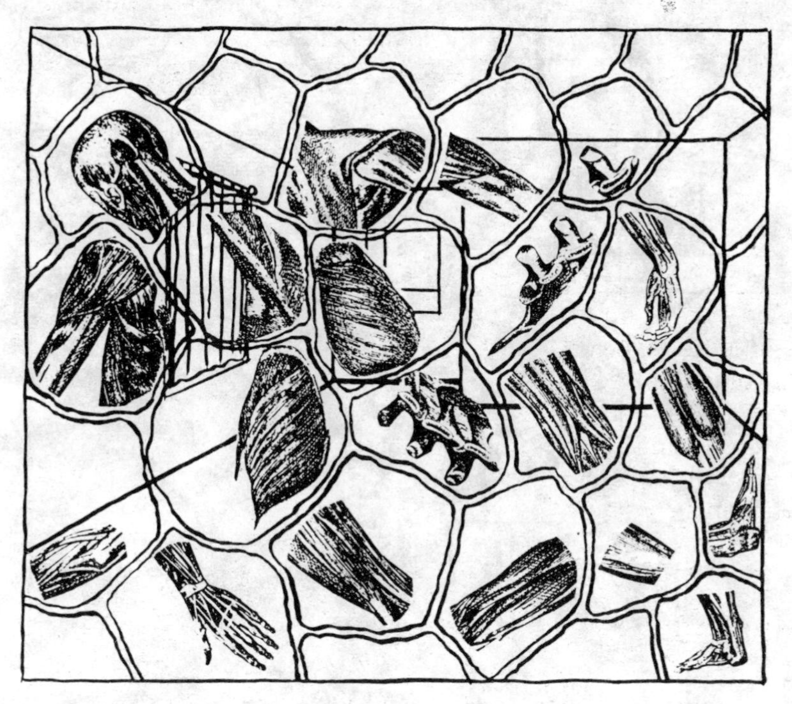

Por debajo de la célebre fantasía de castración puede estar la fantasía de fragmentación.

Postuló que **en la paranoia podemos asistir a una especie de descomposición**, que ilustra con claridad las etapas de la constitución "normal" de la imagen y de la realidad.

La construcción del Yo

Por ejemplo, temas tan comunes en la paranoia como las imágenes especulares, la comunicación telepática, la vigilancia y persecución externa, pueden entenderse como elementos fundamentales en la constitución del Yo. Si el Yo se construye a partir de una imagen externa, si nuestra identidad nos es dada en una alienación...

La verdad del Yo surge precisamente en la locura, donde el mundo parece disolverse y es puesta en tela de juicio la diferencia entre uno mismo y el otro.

En nuestras relaciones cotidianas con los demás no nos damos cuenta de emplear estos criterios, pero muchas obras de arte, en particular las de Dalí, trataron de captar esa idea.

Así, me vi llevado a la teoría de que el saber humano es en su propia esencia paranoico.

En la paranoia vemos con claridad los elementos o pasos que conforman la relación con el mundo que la locura nos puede recordar.

Aunque suele explicarse la teoría de Lacan sobre la imagen en esta época por la influencia del surrealismo, debe mucho más a ciertas corrientes de la psiquiatría francesa, como la obra de Joseph Capgras y los psiquiatras interesados en los problemas del reconocimiento, el doble y la imagen. Lacan volvió a menudo a la noción del estadio del espejo reformulándola en sus clases. Nunca se mantuvo estática. No hay una sino varias teorías sobre el estadio del espejo en la obra

En la Segunda Guerra Mundial

Durante la ocupación alemana de Francia, Lacan sirvió en el ejército y luego en el hospital militar Val-de-Grâce, en París. Allí entabló relación con Sylvia Bataille (su apellido de soltera era Maklès), con quien se casaría. Ella era esposa del escritor y teórico Georges Bataille, aunque estaba separada de él desde 1933.

Muy conocida por su actuación en las películas de Jean Renoir. Tal vez su papel más célebre fue el de la heroína de ***Une partie de Campagne.*** Durante la Ocupación, Lacan hizo frecuentes viajes desde París al Sur de Francia para verla; en 1941 nació Judith, hija de ambos.

Lacan tomó la decisión de no publicar nada durante la guerra. Cuando ésta finalizó, en 1945, fue a Inglaterra con fines de estudio durante cinco semanas. Describió su viaje en el artículo "La psiquiatría inglesa y la guerra" (1947). Manifestó su particular admiración por el desempeño de los ingleses en el conflicto, y reseñó las obras de Wilfred Bion y John Rickman, a quienes había conocido en su estadía.

Trataron de aplicar las ideas psicoanalíticas a la rehabilitación de los inadaptados a la vida militar.

Lo que más le atrajo a Lacan fue su trabajo con pequeños grupos. En lugar de organizarse en torno de una figura de autoridad con la que supuestamente debían identificarse, estos grupos se centraban en diversas actividades.

El grupo se forma en torno de una tarea, lo cual indica otro tipo de proceso identificatorio.

Lacan alabó esa sensibilidad ante los problemas de la identificación y sostuvo que el éxito de Gran Bretaña en la guerra se debía, en buena medida, a la difusión de esas ideas entre los militares.

El retorno a Freud

A partir de 1951, Lacan condujo un seminario semanal en el que instó a lo que denominó un retorno a Freud.

Defendí una relectura cuidadosa, centrada en las constantes referencias al lenguaje y sus funciones en la obra de Freud.

La ***Interpretación de los sueños***, el ***Proyecto de Psicología*** de 1895, ***La psicopatología de la vida cotidiana*** y ***El chiste y su relación con lo inconsciente*** se ocupan de operaciones que son, básicamente, de naturaleza lingüística, desde las asociaciones de palabras hasta la propia estructura de los síntomas.

Ya en 1895 Freud había dicho que "**el síntoma se une a la conversación**".

UN PACIENTE PUEDE SUFRIR DOLORES EN MOMENTOS PRECISOS DE SU DISCURSO.

El dolor indicará que algo quedó sin decir, y mostrará que las propias sensaciones físicas pueden ser lingüísticas y enviar un mensaje que el analista tendrá que recoger.

Los síntomas y las palabras

MOSTRÉ QUE LOS SÍNTOMAS Y ACTOS PODÍAN SER, LITERALMENTE, PALABRAS ATRAPADAS EN EL CUERPO.

Una mujer que desea tener un hijo se arroja desde un malecón, y la palabra que utiliza para "arrojarse" *(niederkommen)* es idéntica a la que significa "parir". La atracción que siente un hombre por las mujeres de nariz "brillante" se remonta a la equivalencia verbal entre la palabra alemana para "brillo" *(Glanz)* y la palabra inglesa "*glance*" (mirada).

Una neurosis puede organizarse íntegramente en torno de ciertas palabras y de las relaciones que las unen. El caso del Hombre de las Ratas analizado por Freud muestra cómo toda una red de síntomas, compulsiones y actos dependían del nexo entre las palabras "Spielratte" (jugador), "heiraten" (casarse) y "raten" (cuotas). **Las palabras son la materia misma de los síntomas, la trama que constituye la vida y el tormento de los seres humanos.**

NIEDERKOMMEN
GLANZ
SPIELRATTE
HEIRATEN
RATEN

Significante y significado

Dentro del programa de retorno a Freud de Lacan, es decisiva la diferencia entre significante y significado. Según una conocida definición, el **significante es una imagen acústica** (como una palabra), en tanto que **el significado es un concepto**. Este último tiene cierta prioridad y utilizamos significantes para acceder a los significados, o sea, para decir lo que queremos decir. La palabra nos permite acceder al sentido. Este pasaje de la palabra al sentido parece sencillo: preguntamos por un objeto cualquiera, la persona que nos oye comprende nuestra solicitud y responde con el objeto. El lenguaje serviría para la comunicación mutua y a través de las palabras transmitiríamos sentidos e intenciones.

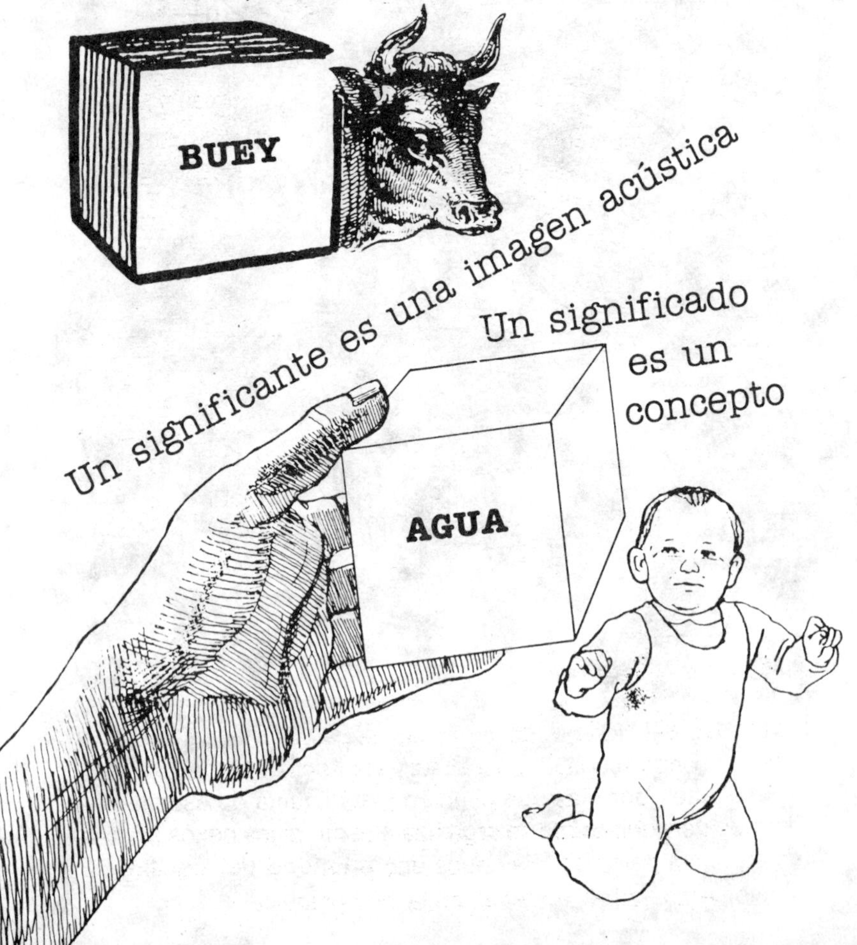
BUEY
Un significante es una imagen acústica
Un significado es un concepto
AGUA

Pero Lacan veía las cosas de otro modo. En vez de suponer que entre el significante y el significado había transparencia, un fácil acceso de la palabra al sentido, sostuvo que existía una barrera real, una resistencia.

Una palabra no revela tan simplemente su sentido. Más bien conduce a otras palabras en una cadena lingüística, así como un sentido conduce a otros.
Heiraten
Spielratte
Raten

En el caso del Hombre de las Ratas, la palabra "raten" no apuntaba al sentido "cuotas" sino a otros elementos, como "heiraten" y "Spielratte", por más que él no se diera cuenta de esos nexos. El grupo de significados se organiza a partir de los nexos existentes entre las palabras. Hay pues una **prioridad del significante**, del elemento verbal, material, en la vida psíquica.

Esto se aprecia con claridad en muchos juegos actuales en los que el jugador debe indicar sus asociaciones sucesivas ante un término o concepto. Las palabras generan significados que trascienden la comprensión de quienes las usan. Lo que uno quiere decir y lo que dicen sus palabras no coinciden. De ahí que en la vida diaria haya tantos malentendidos y tantas veces haya que disculparse.

¿Qué mensaje quiso transmitir Isabel I cuando se llevó la mano a la cabeza en su lecho de muerte? ¿Quiso señalar a Jacobo como sucesor, o simplemente que le dolía la cabeza?

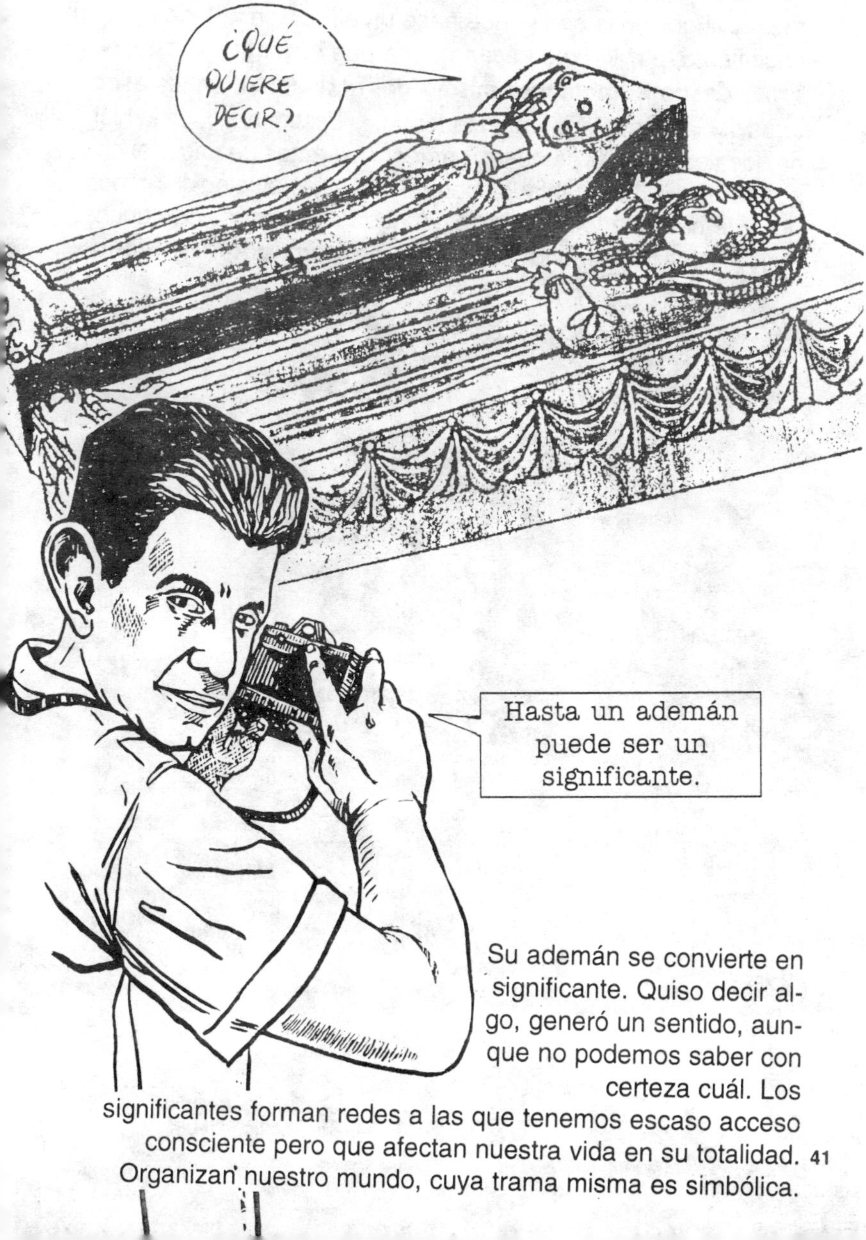

¿QUÉ QUIERE DECIR?

Hasta un ademán puede ser un significante.

Su ademán se convierte en significante. Quiso decir algo, generó un sentido, aunque no podemos saber con certeza cuál. Los significantes forman redes a las que tenemos escaso acceso consciente pero que afectan nuestra vida en su totalidad. Organizan nuestro mundo, cuya trama misma es simbólica.

Lo simbólico

Desde principios de la década del cincuenta, Lacan destacó cada vez más en sus obras lo simbólico como poder y principio organizador, entendido como el conjunto de redes sociales, culturales y lingüísticas en las que nace un niño. Son anteriores a su nacimiento, por lo cual Lacan afirma que **el lenguaje está presente desde el momento mismo del nacimiento,** en las estructuras sociales que operan en la familia y, desde luego, en la historia, ideales y objetivos de los padres. Aun antes de nacer el niño, sus padres ya han hablado sobre él o ella, le han elegido un nombre y le han trazado un futuro. Aunque el recién nacido apenas pueda captar este mundo lingüístico, **afectará toda su existencia.**

CREO QUE LO LLAMARÉ JESÚS.

Esta idea tiene consecuencias obvias para la teoría del estadio del espejo. Lacan había subrayado primero la identificación imaginaria; ahora examinaba el aspecto simbólico. Si el niño está capturado en una imagen, aun así asumirá como elementos identificatorios los significantes del habla de sus padres. La madre, al alzar al niño para que se vea reflejado, le dirá quizá...

TIENES LOS OJOS DE TU ABUELA.
TE PARECES MUCHO A TU PAPÁ.

Estos son pronunciamientos simbólicos, pues sitúan al niño en un linaje, en un universo simbólico. **El niño está ligado a su imagen por nombres y palabras,** por representaciones lingüísticas. Si la madre le repite permanentemente al niño "¡Qué malo que sos!", terminará teniendo un canalla o un santo. **La identidad del niño depende de cómo asuma las palabras de los padres.**

El Ideal

Hay entonces una identificación que va más allá de la identificación con la imagen, y en cierto sentido es anterior: **la identificación simbólica con un elemento significante**.

Si el narcisismo gira en torno de la relación de uno mismo con su imagen, esto muestra que el narcisismo no es sólo imaginario sino que incluye una dimensión simbólica.

Lacan lo denomina **identificación con el Ideal**, término que no pretende sugerir nada perfecto o "ideal" en el sentido corriente. Este Ideal no es consciente. No es que el niño decida de pronto parecerse a un antepasado o miembro actual de su familia; más bien, incorporará lo que escucha hablar, creando un núcleo de "insignias" inconscientes, cuya existencia puede deducirse del material clínico. El análisis revela las identificaciones centrales, cómo **el sujeto se ha convertido en lo que el progenitor profetizó para él** o cómo repite los errores de su abuelo.

Bertrand Russell fue conmocionado un día al descubrir en un cajón un diario íntimo de su padre donde se contaban detalles del noviazgo con su madre.

¡QUÉ EXTRAÑO! SU NOVIAZGO FUÉ IDÉNTICO AL QUE TUVE YO CON MI ESPOSA!

Esto indica que lo simbólico opera fuera del control o comprensión conscientes de los partícipes. La sorpresa de Russell muestra que operaba lo inconsciente.

La clave de la teoría de la identificación es que la identificación simbólica con un elemento ideal evita que el sujeto quede totalmente a merced de las imágenes imaginarias que lo han capturado. Aquellos provienen de otro registro, el simbólico, y sirven para enraizar al sujeto, para darle una base en esta estructura.

ASUMIR UN LUGAR EN EL MUNDO DE LO SIMBÓLICO IMPLICA ABANDONAR EL MUNDO DE LA IMAGEN.

El registro narcisista imaginario que Lacan había examinado con tanto detalle en sus primeras obras descansaba en un fundamento simbólico: **la relación con la imagen será estructurada por el lenguaje.**

MI RELACIÓN CONMIGO MISMA SE CONSTRUYE "DESDE AFUERA". APRENDO QUIÉN SOY PORQUE OTROS ME LO DICEN.

Las imágenes están atrapadas en una compleja red simbólica que maniobra con ellas, las combina y organiza sus relaciones.

Hermosa
Rubia
Pelirroja
encantadora
Ojos azules
Cintura delgada
Piel Dorada
Dientes Blancos
Pies pequeños
Mejillas con pómulos Salientes
Largas pestañas
cuello esbelto

Ideal del yo y yo ideal

De ahí que Lacan diferencia el ideal del yo del yo ideal, términos que aparecen en diversos lugares de la obra de Freud. Según la formulación lacaniana de 1953, **el yo ideal es la imagen que se asume y el ideal del yo es el elemento simbólico que otorga a cada cual su sitio y le indica el punto desde el cual es mirado por los demás.** Si uno conduce su auto a toda velocidad, podría deberse a que ha asumido la imagen de un corredor de carreras, identificándose con él. Esto se refiere al yo ideal. Pero la verdadera pregunta es: **¿para quién se identifica con ese corredor?**

CUANDO CONDUCES MUY RÁPIDO, ¿QUIÉN CREES QUE TE ESTÁ MIRANDO?

Esta es la dimensión del ideal del yo. Clínicamente, no sirve de mucho señalarle a un paciente su identificación con un yo ideal. Para desarticular esto, debe apelarse a la dimensión simbólica, al registro del ideal del yo.

Lingüística estructuralista

Aquí el registro simbólico se caracteriza por algo muy especial. Los pensadores influidos por los avances lingüísticos sostenían que toda estructura es lingüística si posee la simple condición de basarse en un sistema de diferencias. Una palabra es **una palabra porque es diferente de otras palabras**. La palabra "con" toma su valor de su diferencia respecto de "ron", "son" y "can". O bien, para salir del ámbito del habla, una red ferroviaria podría ser muy bien considerada como un sistema lingüístico, dado que el tren de las 10.30 seguirá siendo el tren de las 10.30 aunque llegue a las 10.40, precisamente por ser diferente del tren de las 10.00 y del de las 11.00. **Su valor deriva de que es un elemento en un sistema de diferencias.**

CON RON SON CAN
PRINCETOWN BRANCH

Lo esencial es recordar que aunque los vagones cambien todos los días, ese tren seguirá siendo el de las 10.30. Lo que importa no es el "contenido" del tren sino su lugar dentro de un sistema global.

Entonces, **la propiedad primordial de un sistema lingüístico es la discontinuidad,** la existencia de una serie de elementos diferentes. Discontinuidad significa brechas: hay un espacio entre los elementos. Los trenes de las 10.30, las 11.00 y las 10.00 no llegan al mismo tiempo ni se superponen en los horarios del ferrocarril.

Lacan opone esta discontinuidad al registro imaginario, que procura eludir la dimensión de la falta o ausencia. Este empeño es por supuesto inauténtico, dado que lo imaginario se basa en una seria y perturbadora forma de discontinuidad: **la brecha entre el cuerpo no coordinado del niño y la envoltura de la imagen total que asume.**

Lo inconsciente y el lenguaje

Si el Yo es imaginario, el inconsciente, según Lacan, está estructurado como un lenguaje, constituido por una serie de eslabones de elementos significativos. Como una máquina traductora infernal, transforma las palabras en síntomas, inscribe significantes en la carne o los convierte en ideas o compulsiones atormentadoras. **Un síntoma puede ser, literalmente, una palabra atrapada en el cuerpo**. Recordemos que los niños sólo saben sobre sus órganos internos lo que sus padres les dicen. Así, el interior de su cuerpo está hecho de palabras. Los médicos conocen bien el caso de los enfermos que se quejan de dolores para los cuales no hay ninguna causa biológica.

Esto no implica que el dolor sea falso: es exactamente el mismo dolor, o aun mayor, que el causado por algún factor físico real.

SUFRO POR LA IDEA QUE ASOCIO CON LA IDEA DE UN ÓRGANO DETERMINADO.
CEREBRO
CORAZÓN
RIÑONES
HÍGADO
VEJIGA

Para aliviar el dolor, es preciso ligar las ideas reprimidas con el resto de la cadena significativa. Es preciso retraducirlas.

Síntomas y palabras
Una paciente, al despertarse por la mañana, se golpeaba repetidamente la cabeza contra la pared de su cuarto, debido a un movimiento que hacía en esa dirección.
EL SÍNTOMA DESAPARECIÓ CUANDO LO LIGUÉ CON UNA FRASE QUE LE ESCUCHÉ A MENUDO A MI MADRE, REFIRIENDOSE A MI PADRE.
"SE LEVANTÓ CON EL PIE IZQUIERDO"

Esto muestra hasta qué punto **un síntoma se compone de palabras**. Y si el estudio del lenguaje revela la presencia de muchos mecanismos lingüísticos diferentes, lo mismo ocurre con el estudio de los síntomas.

UNA METÁFORA IMPLICA SUSTITUIR UN ELEMENTO POR OTRO, POR EJEMPLO, DECIR QUE UN HOMBRE VALIENTE ES UN LEÓN.

La misma estructura tiene el síntoma: se sustituye un término por otro, y al primero se lo mantiene reprimido.

Se puede influir en el síntoma vinculándolo con el resto de la cadena de palabras. Si el significante "levantarse con el pie izquierdo" se liga al síntoma, esta traducción lo suprime y a la vez genera nuevo material clínico.

La sesión variable

La sensibilidad de Lacan ante la discontinuidad lo llevó a introducir un cambio radical en la práctica psicoanalítica.Sus contemporáneos operaban con una sesión típica de 50 minutos, mientras que Lacan creyó conveniente establecer una duración variable.

NUNCA SÉ CUANDO VA A TERMINAR LA SESIÓN...

La sesión se interrupe cuando el paciente dice una palabra o frase importante, y así se lo deja meditar en ella hasta la próxima sesión. Esta técnica presenta varias ventajas respecto de la sesión corriente de 50 minutos.

Los psicólogos conocían desde tiempo atrás un efecto peculiar, llamado el efecto Zeigarnik, según el cual una actividad mental interrumpida suministraba más material asociativo que si se la completaba. Así también **una melodía interrumpida por la mitad evocará más cosas que si se la ejecuta hasta el final**. Todo el que tenga cintas grabadas lo sabe.

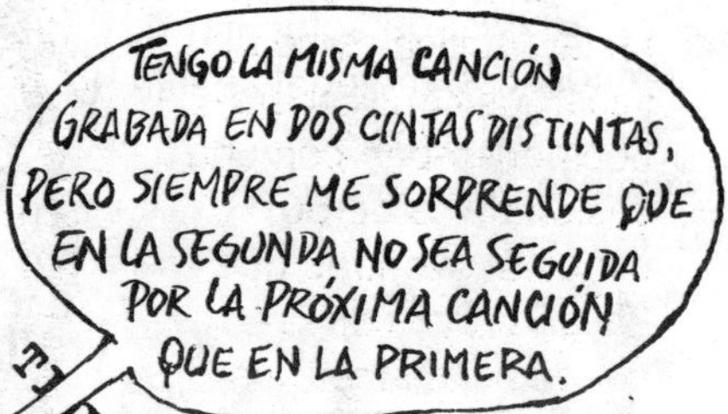

TENGO LA MISMA CANCIÓN GRABADA EN DOS CINTAS DISTINTAS, PERO SIEMPRE ME SORPRENDE QUE EN LA SEGUNDA NO SEA SEGUIDA POR LA PRÓXIMA CANCIÓN QUE EN LA PRIMERA.

a kiss is still a...

Uno de los fundamentos de la sesión variable es este poder de generar recuerdos y asociaciones que tiene la interrupción. La sesión interrumpida evoca quizá la interrupción de las relaciones edípicas.

Otra razón es el afán de evitar sugestionar al paciente o "hacerle un lavado de cerebro". En vez de comentar de inmediato el material analítico que trajo a la sesión, el analista deja que él mismo haga parte del trabajo entre una y otra sesión.

La duración variable es un elemento valioso para combatir muchas formas de resistencia del paciente, como la tan común de preparar lo que dirá en la próxima sesión de antemano.

En el clima creado en la sesión variable hay cierto grado de tensión (pues no se sabe cuándo terminará) que genera material y subvierte los patrones comunes de la resistencia. Para entender en qué consiste una sesión variable hay que vivirla. La experiencia real del tiempo que ella introduce es imprevista, desconcertante y perturbadora.

Lacan relató su uso de sesiones variables en 1953, con uno de sus casos.

Ello me permitió eludir los discursos interminables de un paciente sobre el arte de Dostoievski, lo cual le provocó la fantasía de un embarazo anal resuelto mediante una cesárea.

z peor,
Dijo mucho más. Se embo… …cluso lac… …ógeno.
y se ponía muy sensible… …do un tipo excelente,
Masloboyev siempre hab… …precoz; desde sus días de
pero astuto y por así de… …, a sagaces artimañas e in-
estudiante había recur… …ndo no era del todo malo,
geniosas tretas. En el… …erdido. Entre los rusos abun-
pero era un hombr… …dades. Suelen ser individuos
dan estas persor… …todo está como embarullado en
muy capaces, pe… …peor, pueden actuar a sabiendas en
ellos y, lo que e… …nciencia, a veces por debilidad, y no
contra de su c… …tinados a la ruina inevitable, sino que
…ón d… …ntemano. Masloboyev, por ejemplo, se
…a bebida

La discontinuidad y ruptura introducidas por la variabilidad del tiempo de sesión logró **sacar a luz el material más oculto**.

La palabra y el lenguaje

Lacan se explayó acerca de su idea de las relaciones entre lo imaginario y lo simbólico en su famoso Discurso de Roma de 1953: “La función y el campo del habla y la lengua en psicoanálisis”.

Este trabajo disipó una confusión corriente entre la palabra y el lenguaje.
Como hemos visto, el lenguaje es considerado una estructura abstracta, un sistema formal de diferencias.
LA PALABRA, EN CAMBIO, SUPONE LA EXISTENCIA DE UN HABLANTE.
...Y DE UN OYENTE.

Si el lenguaje es una estructura, **la palabra es un acto**, que genera sentido a medida que se habla y les da a los hablantes una identidad.

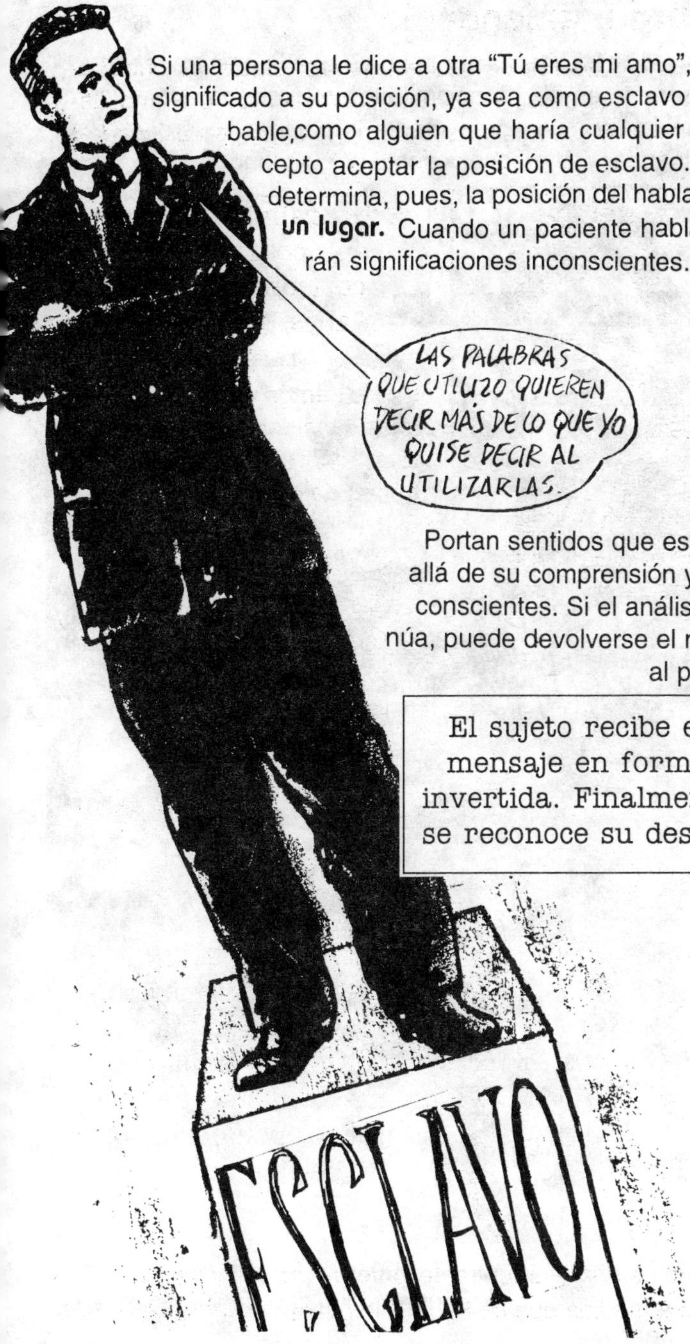

Si una persona le dice a otra "Tú eres mi amo", otorga un significado a su posición, ya sea como esclavo o, más probable,como alguien que haría cualquier cosa excepto aceptar la posición de esclavo. El habla determina, pues, la posición del hablante, **le da un lugar.** Cuando un paciente habla, emergerán significaciones inconscientes.

LAS PALABRAS QUE UTILIZO QUIEREN DECIR MÁS DE LO QUE YO QUISE DECIR AL UTILIZARLAS.

Portan sentidos que están más allá de su comprensión y control conscientes. Si el análisis continúa, puede devolverse el mensaje al paciente.

El sujeto recibe el mensaje en forma invertida. Finalmente se reconoce su deseo

ESCLAVO

A esta altura de su obra, Lacan suponía que la palabra tenía un sujeto empeñado en el reconocimiento de su deseo. No es una resultado trivial, porque normalmente la palabra tiene el efecto opuesto: bloquear ese reconocimiento. Y el reconocimiento, central en una teoría acerca de la palabra, supone la existencia de un Otro, **un lugar desde el cual uno es escuchado, desde el cual es reconocido**.

El otro es entonces el lugar del lenguaje, externo al hablante pero al mismo tiempo interno, por condición de hablante.

Dado que para Lacan el habla está asociada a lo simbólico, el sujeto puede ser reconocido, encontrar algún tipo de identidad, en el orden simbólico.

Lo real

A lo simbólico y lo imaginario, Lacan le añade la categoría de lo real, reformulada varias veces por él. En 1953, **lo real es simplemente lo que no es simbolizado**, lo que es excluido del orden simbólico, "**lo que se resiste absolutamente a la simbolización**". **A lo real, lo simbólico y lo imaginario los llama "los tres registros de la realidad humana**". Lo que comúnmente llamamos "realidad" debería definirse como una amalgama de lo simbólico y lo imaginario: es imaginario en la medida en que estamos situados en el registro especular y el Yo nos brinda racionalizaciones de nuestros actos; y es simbólico en la medida en que la mayoría de las cosas que nos rodean tienen un sentido para nosotros.

Los objetos cotidianos son simbolizados por cuanto quieren decirnos algo, portan una significación.

A VECES UN OBJETO PIERDE SU SENTIDO, Y YO LO MIRO COMO ALGO MISTERIOSO O SOBRENATURAL.

Lo real representaría precisamente lo excluido de nuestra realidad, el margen de lo que carece de sentido y no logramos situar o explorar.

La institución psicoanalítica

En 1953, Lacan, junto con muchos colegas, dejó la Société Parisienne de Psychanalyse (SPP) para formar un nuevo grupo, la Société Française de Psychanalyse (SFP). El no coincidía con la práctica clínica estándar que la SPP se empeñaba en fomentar.

Tampoco estaba de acuerdo con la SPP en el tema de la formación psicoanalítica.
FREUD
GESSAMELTE WERKE
SFP

La consecuencia, no sospechada por Lacan y sus colegas, de abandonar la SPP fue que dejaron de pertenecer a la Asociación Psicoanalítica Internacional. En los años siguientes tuvieron lugar complejas negociaciones a fin de determinar el status del nuevo grupo.

En sus obras de principios de los años cincuenta, Lacan consideraba a la imagen la fuente principal de resistencia al tratamiento psicoanalítico. **El Yo se compone de imágenes privilegiadas y la tarea del análisis consiste en disolverlas.** Debe reintegrárselas al habla y a la red simbólica, en lugar de permanecer estancadas e inertes, bloqueando la progresión dialéctica del habla.

El paso inicial del análisis es revelar, no lo que dice el paciente, sino desde dónde habla: dónde está situada su alienación imaginaria.

La comprensión de lo que uno dice es posterior a eso.

¡Cada vez que el paciente dice "yo", el analista debe desconfiar! Para Lacan, el "yo" [je].de la enunciación debe distinguirse del "Yo" [moi]. El primero parecería referirse a la persona que uno tiene enfrente, pero no es lo mismo que el Yo, sede de las identificaciones imaginarias.

¡Si el paciente dice "yo", el analista no tiene que engañarse!

Es menester ver desde dónde habla, tal vez desde el lugar de un hermano, un amigo o un progenitor con quien se identificó en un plano inconsciente.

Yo y sujeto

Lacan introdujo asimismo una distinción entre el Yo y el sujeto. **El Yo es imaginario, en tanto que el sujeto está ligado según él a lo simbólico**. El sujeto es una entidad fundamentalmente escindida: por las reglas del lenguaje, a las que está subordinado, y también en el sentido de que no sabe lo que quiere.

Freud pensaba en esto cuando preguntaba, por ejemplo, el anhelo [wish] de quién es cumplido en el sueño.
EL DE LA PERSONA QUE TIENE ESE ANHELO, POR SUPUESTO... PERO OCURRE QUE ESA PERSONA DESCONOCE SU ANHELO, LO CENSURA, COMPORTANDOSE COMO DOS PERSONAS DIFERENTES.
¿QUIEN ES LA PERSONA?
¿QUIEN FUE EL DESEO?

La interpretación de los sueños, la obra de Freud, no versa sobre los sueños sino sobre los soñantes. El sujeto dividido no tiene una representación única, sino que emerge en momentos discontinuos, por ejemplo en un desliz verbal o una acción fallida.

Ejemplos de neurosis: 1. La histérica

La neurosis misma, según Lacan, es una especie de pregunta que el sujeto formula por intermedio del Yo. Se utiliza la identificación para formular una pregunta, que en el caso de una paciente histérica es: **¿qué es ser mujer?**

MI PACIENTE DORA ERA ACOSADA POR UN TAL SR. K., CUYA ESPOSA, LA SRA K. TENÍA AMORÍOS CON EL PADRE DE DORA.
LA SRA. K. ERA PARA MÍ LA ENCARNACIÓN DE LA MISTERIO DE LA FEMINIDAD, PUESTO QUE ERA AMADA POR MI PADRE
PERO COMO YO SOY IMPOTENTE, NO PUEDO TENER RELACIONES SEXUALES CON ELLA.

Dora se lamenta del amorío de su padre pero a la vez parece muy ansiosa de que continúe.

LO QUE ME INTERESA ES INVESTIGAR EL DESEO DEL HOMBRE. ¿QUÉ TIENE UNA MUJER PARA HACER QUE UN HOMBRE LA AME MÁS ALLÁ DE LA DIMENSIÓN SEXUAL?

Su verdadero centro de interés es la feminidad. Se identificará inconscientemente con un hombre para averiguar esto.

EN EL NIVEL DEL YO SE IDENTIFICA CON EL **SR. K.** QUIEN PESE A ESTAR CASADO CON LA **SRA. K.** DESEA A DORA.

Repite así con el Sr. K. la relación que la Sra. K. tenía con su padre: la de ser deseada sin mantener relaciones sexuales plenas. Podía de este modo estudiar el deseo del hombre: ¿qué desea el hombre en la mujer?

Ejemplos de neurosis: 2. El obsesivo

Para el obsesivo la pregunta es: **¿estoy vivo o muerto?** Pasa la vida esperando sin actuar. Si tiene un problema, en lugar de charlarlo con alguien por teléfono lo rumiará interminablemente. Rituales, hábitos, reglas mortifican su vida. Cuando llega el momento de actuar, preferirá que otro lo haga en su lugar, eludiendo toda contienda real con otro ser vivo. Un ejemplo es el de muchos hombres que arrojan a su amada en brazos de su mejor amigo.

AL VIVIR FUERA DE MI MISMO, ME CONVIERTO EN UNA SUERTE DE CADAVER VIVIENTE.

Freud había vinculado este cuadro con la resolución inconsciente de un problema con el padre.

EN VEZ DE PELEAR CON ÉL, EL HIJO IMAGINA QUE EL PADRE HA MUERTO.
Mi versión se centra en el lugar que ocupa en esto el Yo. El obsesivo no sólo aguarda la muerte de su amo, sino que se identifica con él como si estuviera ya muerto. De ahí la mortificación tan común en las obsesiones.
A LAS 9 LEERÉ EL DIARIO, A LAS 9^{30} ENTRARÉ AL GATO, A LAS 9^{32} TOMARÉ UN TÉ
A LAS 9^{38} IRÉ HASTA EL FONDO DEL JARDÍN, A LAS 9^{42} REGARÉ EL RO SAL
A LAS 10 TERMINARÉ DE LEER EL DIARIO, A LAS 10.10 ME VESTIRÉ PAR SAL
VIVO SIGUIENDO RUTINAS Y RITUALES DIARIOS PARA EVITAR TODO ENCUENTRO CON LA SEXUALIDAD.

Como el soldado que se hace el muerto en el campo de batalla para evitar el enfrentamiento real con la muerte, la posición del obsesivo es paradójica: para engañar a la muerte, debe mortificarse en vida.

Antropología estructural

La tarea del análisis, dice Lacan, es señalarle al sujeto el lugar del Yo y convertir en material asociativo las imágenes estancadas que lo tienen cautivo. **El análisis implica que el sujeto asuma plenamente su historia**: las imágenes del Yo deben integrarse a este texto simbólico. A esta altura de la obra de Lacan, el análisis es el pasaje a lo simbólico, y continuó elaborando su teoría de este registro con datos procedentes de otras disciplinas, en especial la antropología estructural.

Mi amigo el antropólogo Claude Lévi-Strauss estaba dedicado a estudios semejantes en esa época.

MOSTRÉ DE QUÉ MANERA CIERTAS ESTRUCTURAS SIMBÓLICAS QUE NO SE PERCIBEN CONSCIENTEMENTE PUEDEN ORGANIZAR Y GOBERNAR EL FUNCIONAMIENTO DE UNA SOCIEDAD Y LA MENTE DE UN INDIVIDUO.

A Lacan le interesó particularmente la aplicación que hizo Lévi-Strauss del grupo matemático, tema que retomó varias veces en su propia obra.

$$M_3(p=m) = f\left[M_2 {(p=p) \atop (m=m)}\right]$$

$$f\left[M_2 {(p=p) \atop (m=m)}\right] = f\left[M_1(p=m)\right]$$

$$f(a,b,c,d) = (a+1, b+1, a+c+d+1, d+p)$$
$$g(a,b,c,d) = (a+1, b, a+c+q+1, d+q)$$

A → B
C → D
INTERCAMBIO GENERALIZADO

$$A\begin{Bmatrix}1 = 1\\ 2 \quad 2\end{Bmatrix}B$$

$$C\begin{Bmatrix}1 = 1\\ 2 \quad 2\end{Bmatrix}D$$

A_1 B_1
A_2 B_2
C_1 D_1
C_2 D_2

Modelos matemáticos

En los años 40 y 50 se incorporaron a la antropología novedosos métodos matemáticos: las estructuras algebraicas, las de orden, las topologías. A comienzos y mediados de los 50, a Lacan lo atrajo la faz algebraica. Una ecuación matemática podía asociarse a un grupo de permutaciones; la teoría de los grupos es la parte de la matemática que presta especial atención a las propiedades de dichos grupos.

Se me ocurrió que una neurosis obedecía a leyes que podían estudiarse de la misma manera, o sea, que consistía en un grupo de reglas de permutación.

Una situación inicial (como la del matrimonio de los padres) se transformaría, de un modo por entero inconsciente, en determinadas reglas en la propia vida generando otras situaciones (como la propia vida matrimonial o amorosa) que repetían la primera y la transformaban en importantes aspectos. Las leyes de este proceso de transformación podían ser formuladas matemáticamente tal como lo hacía Lévi-Strauss y otros antropólogos.

El contacto de Lacan con la antropología estructural llevaría asimismo a una revisión de la teoría psicoanalítica clásica del complejo de Edipo.

Varios antropólogos habían observado que en ciertas sociedades no era el padre el objeto de temor, respeto y rivalidad, sino el tío materno.

LA ESTRUCTURA EDÍPICA NO PRESUPONE LA EXISTENCIA DE LA FAMILIA NUCLEAR "TÍPICA", SINO QUE A TRAVÉS DEL TÍO MATERNO QUE CEDE A SU ESPOSA INVOLUCRA A TODA LA TRIBU O CLAN.
(CLAUDE LÉVI – STRAUSS)

El sociólogo Marcel Mauss había propuesto que la sociedad está constituida y sustentada por **un ciclo perpetuo de intercambio de dones**, en una misma generación y entre varias generaciones.

LOS BIENES DE PROPIEDADES, BIENES Y AÚN PERSONAS CONFIEREN A LA SOCIEDAD SU TRAMA SIMBÓLICA.
(MARCEL MAUSS)

El factor clave no es tanto lo que se da, sino el hecho mismo de dar, que es simbólico.

El nombre del padre

De estas teorías se desprende que un matrimonio sirve para cimentar las relaciones comunitarias y convierte al hombre y la mujer en meros integrantes de una organización simbólica más amplia. Un matrimonio involucra no sólo a los padres y parientes cercanos, sino a toda la comunidad. **El hombre y la mujer se vuelven parte de una cadena simbólica**. Por lo tanto, el padre biológico debe distinguirse de las estructuras simbólicas que organizan la relación entre el hombre y la mujer. La paternidad tiene una faceta simbólica, y a esta instancia de la paternidad Lacan la llama ***el nombre del padre***. **No se trata de una persona real sino de una función simbólica**.

EL NOMBRE
DEL
PADRE

Esto no debe confundirse, según suele ocurrir, con el nombre real del padre. No es más que una frase con la que se designa el aspecto simbólico de la paternidad, por oposición a su naturaleza real, que en nuestros días se reduce al esperma. Hoy una mujer puede quedar embarazada sin haber tenido relación sexual con el hombre; la ciencia ha hecho posible la inseminación artificial, hecho que ilustra el distingo lacaniano entre las instancias reales y simbólicas.

La inseminación artificial se relaciona con el esperma y también tiene vital relación con el aspecto simbólico, bajo la forma del discurso científico, estructura simbólica organizada con sus leyes y poderes propios.

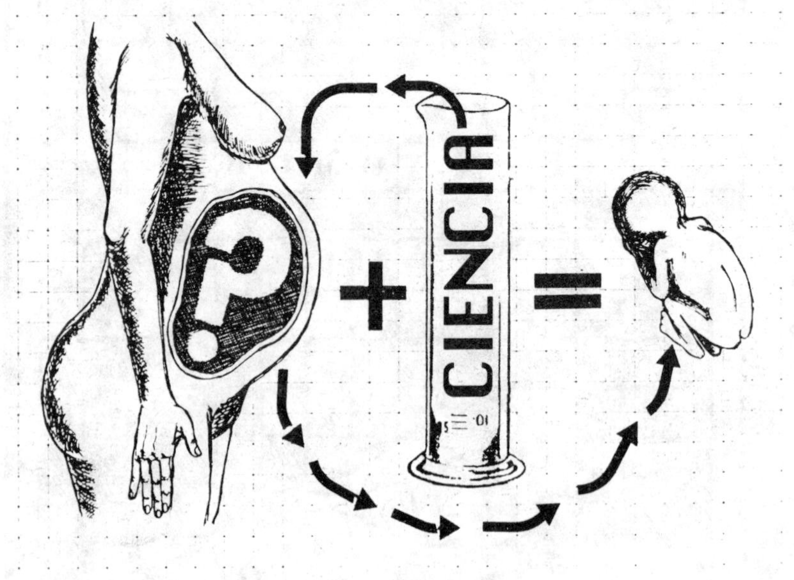
CIENCIA

El falo

Lacan aduce que el complejo de Edipo tiene como resultado que el niño ingrese en el circuito simbólico y se aparte de su relación inmediata con la madre. Sin embargo, esta relación no es dual; no envuelve solamente a la madre y el hijo.

Hay tres elementos presentes: la madre, el hijo y el objeto del deseo de la madre, que yo denomino "el falo".

ME DOY CUENTA DE QUE NO SOY LO QUE MI MADRE DESEA.
POR MÁS QUE AME A MI HIJO SIEMPRE HABRÁ UN MARGEN, ALGO QUE LE INDICARÁ QUE LO QUE DESEO ESTÁ MAS ALLÁ.

Una vez establecida esta estructura triangular, el niño puede intentar convertirse en ese tercer elemento, el objeto del deseo materno, recurriendo para ello a los múltiples juegos de seducción en los que descuella. **Intentará ser el falo de la madre,** encarnar el falo en la forma propia de los individuos en cuestión.

La red simbólica

Sostiene Lacan que este objeto imaginario de los juegos del niño debe ser trasladado al nivel simbólico. **Debe renunciarse a las imágenes utilizadas por el niño para atraer a su madre**, que están marcadas por el signo de la prohibición. Aquí cobra importancia el énfasis antropológico en el papel del dar en la sociedad.

SI LA RED SIMBÓLICA DE UNA SOCIEDAD ESTÁ CONSTITUIDA POR EL INTERCAMBIO DE DONES...
... y puede ligarse a este circuito el objeto imaginario de los juegos entre el niño y la madre, entonces el niño podrá dejar atrás la inicial regulación triangular con la madre.

Podrá dejar el universo materno para ocupar un sitio en el universo más amplio del mundo simbólico. El objeto imaginario debe asumir el valor de un don, y la época crucial del complejo de Edipo está dedicada a establecer esta nueva significación. **El falo será el objeto prometido al niño para su uso futuro**; se transformará en el objeto de un pacto.

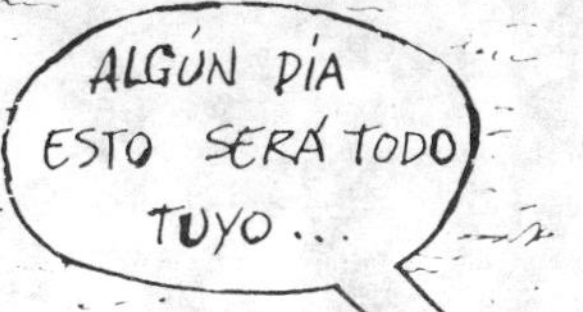
ALGÚN DÍA ESTO SERÁ TODO TUYO...

Esta promesa supone, desde luego, que lo que se devolverá en el futuro ha sido previamente sustraído. Asumir una posición sexual implica una pérdida o sustracción inicial.

Como veremos, Lacan reformuló más adelante su teoría del complejo de Edipo.

¿Es Lacan un estructuralista?

A fines de los años cincuenta, el foco de la obra de Lacan deja de ser la palabra y pasa a ser el lenguaje. Hablar es un acto que implica al sujeto y a otro. **El lenguaje**, en cambio, **es una estructura**, y como tal no supone un sujeto. El lenguaje no tiene nada de humano, si se lo ve como **un sistema formal de diferencias** y se lo distingue claramente de la palabra.

Ese es el problema: si el lenguaje es una estructura abstracta, ¿qué sujeto puede concebirse para él? ¿Cómo puede el ser humano encontrar lugar en una estructura que le es intrínsecamente ajena?

Lacan no podría ser considerado, pues, un **estructuralista**. El estructuralismo apuntaba a prescindir del sujeto y de la noción de un agente subjetivo, poniendo en su lugar la autonomía de las estructuras lingüísticas. Como señaló Jacques-Alain Miller, aunque Lacan comparte esta concepción de la autonomía de lo simbólico, al mismo tiempo le preocupa seriamente dar cabida al sujeto.

Trate de redactar un breve aviso: "Joven buen mozo amante del teatro...". Lo que escribe es diferente de uno. Puede representarlo, pero debe enfrentar el hecho de que las palabras no van a ayudarle. **No fueron creadas pensando en ti**, pese a lo cual para sobrevivir debes abrirte camino en el mundo del lenguaje.

LAS PALABRAS ME REPRESENTAN
PERO NO SON DESTINADAS A MI...
PALABRAS

Surge así una nueva teoría de la alienación en Lacan. Sus primeras obras situaban **la alienación en el registro de la imagen**, en tanto que ahora la alienación es situada en el registro del lenguaje. Si antes se veía en el habla un factor que le daba al sujeto cierta identidad, ahora se ve que **la función del lenguaje es bloquear la identidad**. Esta es la diferencia entre la concepción lacaniana del lenguaje en 1953 y en 1958: el sujeto ya no es reconocido sino abolido.

Pérdida y lenguaje

Desde la infancia recurrimos al habla para expresar nuestras necesidades, pero tan pronto usamos palabras a fin de expresar algo, ya estamos en otro registro. Si lo que queremos es agua, el solo hecho de pedirla modifica las cosas.

EL AGUA IMPORTA MENOS QUE EL HECHO DE QUE MI MADRE ME LA DÉ O NO.
EN OTROS TÉRMINOS, CÓMO LE MANIFIESTO MI AMOR.

El objeto de la necesidad es pulverizado por la dimensión del lenguaje: ahora lo que importa no es el objeto (el agua) sino el signo de amor. **Por lo tanto, el habla introduce una forma particular de pérdida en el mundo**. Hablar es desvanecer el objeto, porque uno siempre le habla a alguien.

El objeto de la necesidad queda eclipsado por la demanda.

Deseo

La demanda es, en definitiva, una demanda de amor, y por ende imposible de satisfacer. Si alguien nos pregunta si lo queremos y contestamos que sí, eso no lo detendrá de volver a preguntarlo una y otra vez. Es bien sabido que demostrar de una vez para siempre el amor que uno siente es realmente imposible. La demanda es, entonces, una espiral continua. Pero Lacan agrega algo: a la necesidad y la demanda, le añade el registro del deseo. **El deseo retoma lo que ha sido eclipsado en el nivel de la necesidad** (la dimensión representada por el agua mítica) e introduce una condición absoluta, a diferencia de la índole totalmente incondicional de la demanda.

Como podemos verlo en los casos en que el deseo humano tiene, literalmente, una condición absoluta: los de fetichismo.
SOLO GOZO SEXUALMENTE CUANDO MI PAREJA TIENE UN OBJETO O RASGO PARTICULAR, COMO UNA CINTA O UN PAR DE BOTAS DETERMINADAS.

El goce está estrictamente determinado por la presencia de tal elemento.

Y la falta...

Aunque él ejemplo del fetichismo es extremo, Lacan muestra que se halla en el horizonte de todo deseo humano. La elección de pareja del hombre siempre contendrá alguna referencia a detalles no humanos: el color del cabello, de los ojos, etc. Estos rasgos abstractos nada tienen de "humano". Por lo tanto, en contraste con el registro de la demanda, **el deseo está ligado a ciertas condiciones**.

Parte del trabajo analítico consiste en tratar de extraer el deseo del sujeto de sus incesantes demandas. El neurótico privilegia la demanda, oculta su deseo detrás de la presencia imponente de la demanda.

COMER

La demanda es siempre demanda de un objeto; en cambio, el deseo tiene como objeto **nada** —en el sentido de que "**el objeto es la falta**". Ciertas estructuras clínicas muestran con claridad esta diferencia. La anoréxica, por ejemplo, al negarse a comer da cabida a un deseo que está más allá de la demanda. Frente a la demanda de la madre de que coma, la hija ofrece una negativa simbólica, manteniendo su deseo centrado en comer "nada". Se introduce así una falta en la relación con la madre, **que marca claramente la tensión entre la demanda y el deseo**.

Deseo y anhelo

El deseo emergerá en pequeños detalles; de ahí la insistencia de Lacan en pesquisarlo, **buscarlo entre líneas, donde es menos obvio**. Este hincapié en los detalles es bien freudiano. Freud había demostrado que cuando una corriente inconsciente es reprimida, al no poder reingresar en la conciencia se desplaza a detalles minúsculos y sólo siguiendo esas derivaciones puede activarse el resto del complejo en cuestión.

¿DÓNDE ESTÁ LA ESTACIÓN?
A CINCO MINUTOS

Importa distinguir lo que Lacan llama deseo de lo que normalmente llamaríamos un "anhelo". **Un anhelo es algo que se quiere conscientemente,** mientras que el deseo ha sido proscripto de la conciencia. Freud ya había hecho este distingo en su obra sobre los sueños. Un sueño puede representar un anhelo obvio. Un individuo está en el Polo Norte, muerto de frío y de hambre, y cuando se duerme sueña con un hermoso lecho con dosel y un plato lleno de caviar.

Parecería que el sueño realiza su anhelo: tener abrigo y comida. Pero **este anhelo no es más que un coartada**. Lo que realmente importa es averiguar por qué esa realización del anhelo tomó la forma de un gran lecho con dosel y de un plato de caviar.

¿POR QUÉ NO UNA CAMA COMÚN?
¿POR QUÉ NO UN PLATO DE SOPA?

Aquí el deseo difiere del anhelo.

El deseo equivale al proceso de distorsión que convirtió el anhelo de abrigo y comida en esta imagen particular. Si el día anterior a un examen uno sueña que estando en cierto lugar lo aprueba, es probable que el deseo no se encuentre en la idea de aprobar el examen (ése es el anhelo) sino en el **detalle** del lugar en cuestión (¿por qué estaba allí y no en otra parte?)

Distorsión y deseo

MI PADRE SE DESVIVIA POR MI ESPOSA
MADRE
MI HERMANO ME DIJO QUE SI YO NO FUESE SU NOVIA,
SALDRIA CON
HERMANA

El deseo es, pues, algo muy peculiar. En la teoría que Lacan elabora, es algo sumamente extraño, que nada tiene que ver con el anhelo, sino que consiste en unos mecanismos lingüísticos que tuercen y distorsionan ciertos elementos transformándolos en otros. Un desliz verbal es un buen ejemplo: uno dice algo diferente de lo que quería decir, y no sabe por qué. **El deseo está presente porque un elemento ha sido distorsionado y modificado por otro.** La presencia del deseo se deduce en la labor clínica prestando atención a estos procesos cuando se reiteran, así como a los puntos de ruptura, distorsión y opacidad en las asociaciones del paciente.

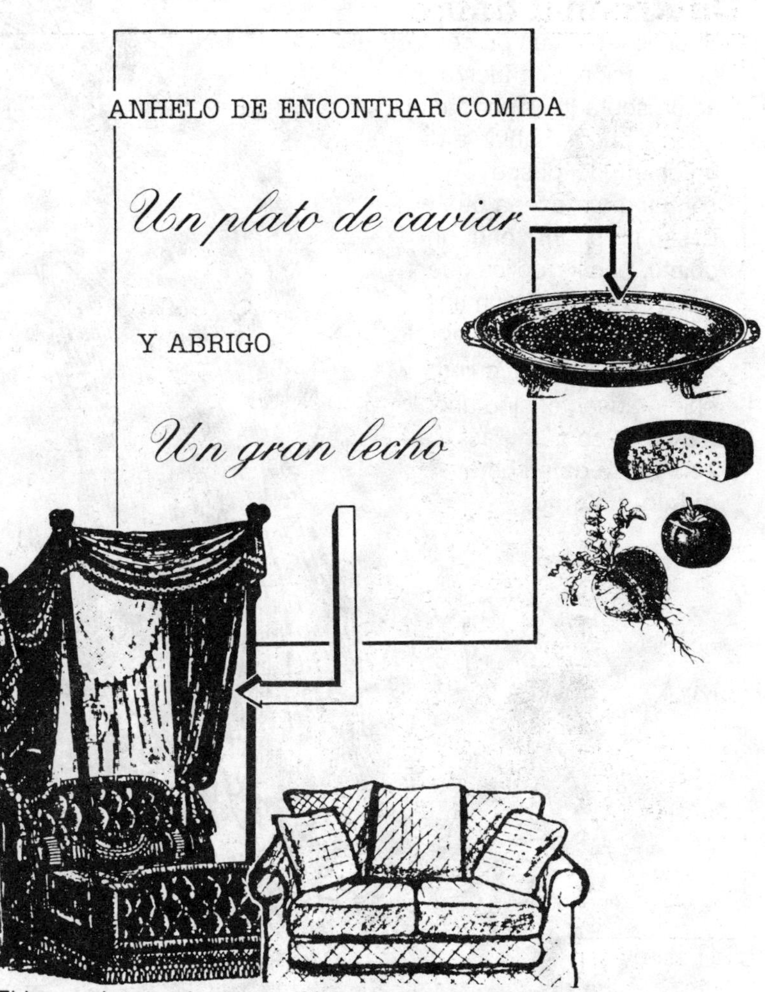
ANHELO DE ENCONTRAR COMIDA
Un plato de caviar
Y ABRIGO
Un gran lecho

El lenguaje permite transmitir mensajes, pero también posee redundancia. Es lo que diferencia a una carta de un telegrama. Este último transmite rápidamente un contenido mínimo de información, en tanto que la carta puede explayarse en pormenores, utilizar procedimientos retóricos y seguir las reglas de cortesía. Si queremos rastrear el deseo, dice Lacan, lo mejor no **es centrarnos en el mensaje sino más bien en los puntos de redundancia**, los detalles minúsculos que no serían necesarios. ¿Por qué "un plato lleno de caviar" en vez de "caviar", simplemente?

El falo materno

Si el deseo es un proceso de deformación, una fuerza que actúa sobre los significantes, ¿cómo puede hablarse de un objeto del deseo? Al contrario, parecería que el deseo no podría tener un objeto. Lacan replica que este objeto es de un tipo muy particular: **es un objeto ausente**. Y no cualquier objeto ausente, sino uno muy preciso para Lacan a esta altura de su obra: **el falo materno**.

Freud y sus discípulos, pese a su numerosas discrepancias, siempre destacaron el papel central del complejo de castración. La clave no es tanto que el sujeto posea o no un falo, sino que la madre lo tenga o no.

EL FALO NO ES LO MISMO QUE EL PENE: ES EL PENE MÁS LA IDEA DE LA FALTA.

Si uno piensa que podría perder el pene y que otra gente no posee este órgano, la idea de la pérdida se liga al órgano en cuestión. Ya nunca más será un pene, sino **un pene más la idea de su ausencia** en la teoría freudiana. Entonces, lo que uno busca en la madre no puede verse: ¿cómo es posible ver algo que no está ahí?

El falo faltante

En los términos de Lacan, el neurótico quiere ser el falo de la madre. El niño busca algún objeto, pero es un objeto perdido, ya que la intervención del padre en el complejo de Edipo le impide al niño equipararse al objeto de la demanda materna. Dicha intervención distancia al niño de la madre, le posibilita abandonar **el universo de ésta y sitúa al falo como algo perdido para siempre, inalcanzable.** Le dice "No" tanto al niño como a la madre.

NO!

En su condición de faltante, el objeto fálico es bien representado por un velo o algo que oculte o encubra. ¿De qué otro modo representar una falta que por la imagen de una pantalla o telón que apunta a algo que está más allá? Más adelante, Lacan modificó esta concepción, como pronto veremos; pero antes importa completar el cuadro de los complejos de Edipo y de castración.

El complejo de Edipo

Al comienzo de la vida el niño está a merced de la madre; depende de ella en todos los sentidos y es incapaz de entender las razones de su conducta. Por maravillosa o cruel que sea su madre, el niño siempre se formulará esta pregunta que le incumbe hasta el tuétano: **¿qué es lo que quiere?**

¿PORQUÉ SE VA AHORA DE LA HABITACIÓN?
¿POR QUÉ ME DA EL BIBERÓN EN ESTE MOMENTO?
¿PORQUÉ HOY ME APRIETA O ME SOSTIENE APENAS?
¿POR QUÉ A MI HERMANA LA DEJA IRSE A DORMIR MÁS TARDE?

Todas estas cuestiones pueden preocupar al niño, y la respuesta que se da constituye una parte decisiva del complejo de Edipo. Apuntemos que algunos niños, por el contrario, no se formulan estas preguntas, por la simple razón de que no tienen espacio para hacerlo: la madre está con el hijo constantemente y no deja que se evoque en él la dimensión de la ausencia o falta. El niño no cuestiona el deseo de la madre porque, en cierto sentido, él la satura como objeto; a ese objeto se reduce toda la existencia de ella.Si la madre revela que su vida no se reduce totalmente al niño, las cosas cambian. **El niño se ve ante una serie de interrogantes sobre los movimientos y caprichos de la madre.** Lacan argumenta que una operación liga todos estos enigmas acerca de la madre con una significación precisa: la del falo.

Melanie Klein (1882-1960) ya había dicho que de todos los objetos que el niño sitúa en la madre, hay uno especial, privilegiado: el pene del padre. Con su teoría del falo, Lacan dio una nueva formulación a esta idea.

DESEO ALGO QUE NO ES IDÉNTICO A MI HIJO, SINO QUE ESTÁ MÁS ALLÁ DE ÉL.
YO OCUPO UN LUGAR EN ESTE DESEO, PERO NO LO SATURO NI LO LLENO POR COMPLETO.

Siempre hay algo que está más allá del hijo, a lo que se dirige el deseo de la madre. Para Lacan es el falo, algo inalcanzable para el niño y que supera su capacidad de encarnarlo.

El complejo de castración

¿Cómo interviene la castración en todo esto? Nunca se subrayará lo suficiente que uno de los mayores logros de Lacan fue volver a darle a la teoría del complejo de castración un lugar central en el psicoanálisis. Si bien éste había sido un referente constante para la primera, y sobre todo la segunda, generación de discípulos de Freud, en la década de 1950 no era raro encontrar artículos teóricos o historiales clínicos que ni siquiera mencionaban este vital concepto freudiano.

Desarrollé la idea de que el niño procura ser el falo de su madre.

Si el proceso edípico funciona bien, el niño renunciará a este afán, y el falo devendrá no tanto un objeto imaginario **como la significación de lo faltante.**

Ante esta pérdida, los varones y las niñas tienen ciertas opciones.

El uso del órgano sexual por el varón debe fundarse en la aceptación de que hay un falo simbólico siempre más allá de él, un falo que él no tiene pero que tal vez un día, en el futuro, puede recibir.

PUEDO ACEPTAR QUE TENGO EL FALO, PERO SOLO SI ACEPTO QUE ESE TENER SE BASA EN UN NO TENER ANTERIOR.
PUEDO ACEPTAR QUE NO TENGO EL FALO, PERO SOLO SI RENUNCIO A LA IDENTIFICACIÓN FÁLICA CON MI MADRE.

La niña puede abrigar la nostalgia del falo perdido o confiar en recibirlo de un hombre en el futuro. Lacan pone el **tener** del lado del hombre y el **ser** del lado de la mujer. Ser el falo quiere decir, en este contexto, ser un significante —lo cual explica, por ejemplo, la propensión a disfrazarse que según Joan Rivière es un rasgo característico de la feminidad.

Importa distinguir por lo menos dos concepciones distintas del falo en las obras de Lacan de la década de 1950. Primero, como objeto **imaginario**, una falta imaginaria que puede circular y en la cual se basan a menudo los juegos sexuales de los niños. Segundo, **como significante**, símbolo del deseo, que nada tiene que ver con la cuestión de tener o no tener un pene. Es literalmente un símbolo, que representa el goce perdido al atravesar el complejo de Edipo. La dificultad para distinguir lo imaginario de lo simbólico puede originar una gran confusión clínica en la labor con los pacientes.

Un ejemplo clínico

Ejemplo fue tomado de la práctica del propio Lacan. Un hombre descubre que es impotente, y le propone un plan a su amante.

Esa noche ella tiene un sueño que le relata por la mañana.

QUIERO MIRARTE MIENTRAS HACES EL AMOR CON OTRO HOMBRE.
SOÑÉ QUE TENÍA UN FALO, PERO AL MISMO TIEMPO LO DESEABA.

Al escuchar el sueño, el paciente de Lacan recupera de inmediato la potencia y en ese mismo momento tiene un magnífico desempeño sexual. Ahora bien: ¿cómo muestra el sueño la diferencia entre el falo como objeto imaginario y como significante?

El hombre está claramente atrapado en una suerte de enredo imaginario. Atribuye la potencia, el falo, a otro hombre, el que se acuesta con la amante.

EQUIPARO EL PENE DEL OTRO CON EL FALO.
PERO MI SUEÑO LO DESMIENTE, PORQUE EN ÉL YO TENGO AL OBJETO IMAGINARIO, AL FALO.

Y sin embargo eso no le impide desearlo. Esto le indica al hombre que el falo es un significante, separado de toda cuestión relativa a tener o no tener pene. Significa el deseo y la dimensión de lo que no tenemos, lo cual no puede equipararse a tener o no el objeto imaginario.

El falo y el lenguaje

Más llamativo aún es el vínculo que Lacan establece entre este símbolo y el propio lenguaje. Al hablar, el niño ve desvanecerse su objeto: el vaso de agua se vuelve secundario respecto de que la madre responda o no a su demanda. **Hablar nos separa de lo que queremos.** Al ingresar en el registro del lenguaje, del significante, no se hace esto por azar sino por necesidad: un rasgo estructural del lenguaje es el de **distorsionar cualquier mensaje**. Por eso, sin duda, los niños juegan al "teléfono roto". Un niño le susurra un mensaje a otro, y así sucesivamente hasta el fin de la ronda, cuando el último integrante lo dice en voz alta.

¡LA DIFERENCIA ENTRE EL PRODUCTO FINAL Y EL MENSAJE ORIGINAL ES SORPRENDENTE!

El falo representa lo que perdemos al ingresar en el mundo del lenguaje: el mensaje siempre se nos escurrirá, lo que queremos será siempre inalcanzable por el hecho de hablar.

El juego muestra cómo opera el lenguaje, cómo se altera el elemento originario, dentro de la red lingüística encarnada por la ronda. Lacan afirma que el **símbolo de este proceso de distorsión es el falo.**

El nombre del padre

¿Cómo se vincula esta operación simbólica del falo con el padre? Con su palabra, la madre establece una referencia a un padre más allá de ella, y que no necesita coincidir con el padre real, en la medida en que separe a la madre del niño. A este elemento estructural, simbólico, Lacan lo llama **el nombre del padre**. El padre es un nombre porque la paternidad siempre implica algo más que la realidad biológica del varón que da su esperma, algo puramente simbólico, que dentro de la cultura cristiana ha tenido una representación célebre. La Virgen María da a luz sin mantener ninguna relación sexual real con la Divinidad, lo cual muestra que la paternidad no debe reducirse al registro biológico. También lo apreciamos en la creencia, común en muchas culturas, de que el embarazo de una mujer está ligado a su tránsito por algún lugar sagrado. **Siempre existe esta disociación entre el aspecto real de la paternidad y su aspecto simbólico.**

EL NOMBRE DEL PADRE

SUBSTITUCION

EL NOMBRE DEL PADRE

el deseo de la madre

$$\frac{\text{NOMBRE DEL PADRE}}{\text{DESEO DE LA MADRE}} \rightarrow (-\varphi)$$

La operación edípica es llamada **metáfora paterna** por Lacan. Es una metáfora porque implica sustituir un término por otro, **el deseo de la madre por el nombre del padre**. Su resultado es una significación, la del falo como lo perdido o negado. Recordemos que para Lacan en su propia estructura la metáfora entraña una sustitución, y ésta genera siempre una significación (la fálica, en este caso). La clave de todo esto reside en la revisión de la teoría clásica del padre edípico, que ya en parte hemos visto.

Para Lacan, el padre no es el padre real, el hombre que vuelve a casa a la tarde y se pone a mirar TV. **Es más bien una función simbólica**; no tanto una persona como un lugar, responsable de la separación de la madre. Cuando el niño retoma el lugar clave del falo para la madre, tratará de encarnar dicho objeto, aun sabiendo que no es idéntico a él. Así, el niño tratará de serlo todo para su mamá.

QUIERO CAUTIVARLA O DESCONCERTARLA, SEDUCIR A TODOS LOS ADULTOS QUE ME RODEAN, LLEGAR A SER REALMENTE ALGUIEN PARA ELLA.

El niño trata de ser el objeto que, según él, le falta a la madre. El nombre de este objeto es "falo". Aceptada esta definición, se la aprecia en **una amplia variedad de formas clínicas**.

PUEDE QUERER DECIR QUE UNO SE CONVIERTA EN UN CHICO BRILLANTE Y SEDUCTOR...
O QUE SE CONVIERTA EN ALGUIEN MUERTO, SEGÚN CUÁL SEA LA FORMA QUE MÁS PAREZCA INTE-RESARLE A LA MADRE.

"Ser el falo" alude a una posición imaginaria y no a una pauta de conducta concreta. Cada análisis muestra qué forma particular cobra en distintas personas.

La operación paterna consiste en destruir este juego con la madre, en significar que el falo que el niño anhela encarnar se ha perdido, está fuera de su alcance, falta.

DEBO ENCARAR EL HECHO DE QUE NO SOLO SOY IMPOTENTE PARA ENCARARLO, SINO QUE ES IMPOSIBLE.
Cuando hablo de la significación fálica en la metáfora paterna, me refiero a que el falo, para ambos sexos, es algo perdido.

Esto es la castración: la renuncia a la permanente tentativa de ser el falo para la madre. Los neuróticos, por desgracia, no se resignan a esta renuncia.

El padre real tendrá quizá la misión de encarnar esta dimensión simbólica del nombre del padre, pero en modo alguno coincide con ella, como se ve en las familias en las que sólo queda un progenitor.

PUEDE TENER UN SOBERBIO COMPLEJO DE EDIPO AUNQUE NO HAYA UN HOMBRE JUNTO A NOSOTROS.
EPICERIE
LO QUE IMPORTA ES QUE LUGAR QUE ASIGNA A ALGO QUE ESTÁ MÁS ALLÁ DE MI MISMA, COMO TRANSMITO Y SIGNIFICO A MI HIJO EL HECHO DE QUE EL MUNDO NO EMPIEZA NI TERMINA EN EL.

En otras palabras, lo que importa es cómo la madre se las ingenia para indicarle implícitamente al niño la existencia de una red simbólica con la que ambos están ligados, red que está más allá de la relación imaginaria que los une.

La estructura de la psicosis

El estudio de la función simbólica llevó a Lacan a una formulación brillante de la estructura de la psicosis en su ensayo *"Acerca de una cuestión preliminar a todo tratamiento posible de la psicosis"*

El nombre del padre está meramente ausente del universo psíquico del psicótico.

Literalmente no existe en él. Freud señaló en varias ocasiones que en la paranoia debía funcionar un mecanismo peculiar, radicalmente distinto de los conocidos mecanismos de la represión o la renegación, presentes en la histeria, las obsesiones y las perversiones.

Para nombrar este mecanismo, Lacan tomó un término de Freud, Verwerfung, que él tradujo al francés como "**forclusion**" (*"Verwerfung"*) , y que designa el rechazo radical del elemento en cuestión.

Si un elemento es reprimido, puede retornar en el habla, en la cadena significante, en lo simbólico.

Pero si es "forcluido", no puede retornar en lo simbólico, por la simple razón de que nunca existió ahí: fue excluido, proscripto.

EL NOMBRE DEL . . .

Entonces, no retorna en lo simbólico sino **en lo real** (p.ej., bajo la forma de alucinaciones).

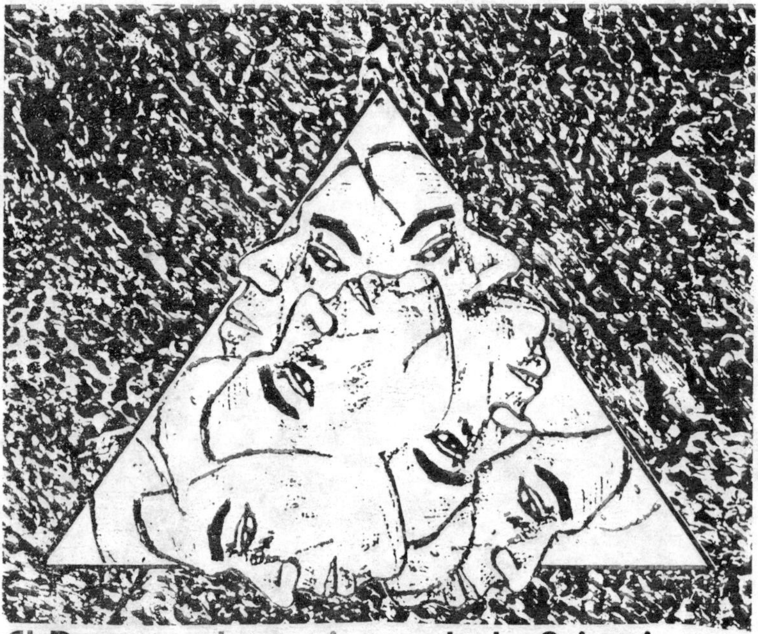

El Desencadenamiento de la Psicosis

Lacan mostró que en la psicosis hay una forclusión del nombre del padre: no se lo reprime, se lo anula totalmente. Esta hipótesis permitió explicar de una nueva manera muy esclarecedora los datos clínicos. Los analistas y psiquiatras habían notado la presencia, en los delirios psicóticos, de temas vinculados con la paternidad y la filiación, como en la Trinidad cristiana y en ciertos motivos religiosos universales. Ahora Lacan ofreció no sólo una explicación sino una elaborada teoría de lo que sucede en los delirios. Indicó que un cuidadoso estudio de su desencadenamiento muestra que el catalizador es **una situación que evoca para el sujeto la idea de la paternidad**. Por ejemplo, en el caso del hombre, ser padre, o en el de la mujer, que le entreguen a su bebé luego del parto. También puede tratarse de una promoción laboral o de un cambio del status simbólico que el sujeto tiene en el mundo. Todo esto apela al registro de la paternidad simbólica, pero como ahí no hay nada, **el sujeto se enfrenta con un hueco, una brecha**. De ahí la sensación habitual de "fin del mundo" que se advierte en los primeros estadios de una psicosis.

El sujeto enfrenta la falta de un significante, el del nombre del padre, y en consecuencia la falta de una significación. Recordemos que para Lacan el significante produce el significado. Por lo tanto, la ausencia de significante implica ausencia de significado. Según Lacan, el delirio psicótico trata de brindar precisamente esa significación faltante para cerrar la brecha abierta por la ausencia del nombre del padre. Después de todo, el delirio viene a dar sentido al mundo.

HOY ESTÁ NUBLADO PORQUE HAY UN COMPLOT CONTRA EL ESTADO DEL TIEMPO.
ESE RUIDO CURIOSO QUE ESCUCHÉ EN LA CALLE ES UN TRANSMISOR SECRETO QUE FUÉ ACTIVADO.

O sea, el delirio puede obrar como un modo de dar sentido al mundo amenazador que rodea al sujeto —amenazador justamente por la falta de una significación esencial que le imponga un orden.

La significación delirante reemplaza a la significación edípica corriente. Por eso son tan comunes en los delirios los temas de la herencia y la filiación: como la dimensión de la paternidad no es codificada en lo simbólico, **retorna en lo real.** A diferencia de lo que acostumbraban muchos de sus contemporáneos, Lacan no se negó a atender pacientes psicóticos.

La paranoia fue uno de mis temas de investigación toda la vida.

La Lógica de la Psicosis

Así como Freud había dicho que un delirio es un intento de autocuración, Lacan veía en él un efecto secundario, **la tentativa de dar sentido a la problemática primordial de la forclusión**. Esta teoría está implícita en la teoría del automatismo psíquico. El psicótico debe conferir sentido a todo lo que le es impuesto, y (como había dicho Clérambault) **lo hace recurriendo a la razón**.

SI OYE VOCES CUANDO NO
HAY NADIE ALREDEDOR ES LÓGICO QUE
SE LAS ATRIBUYA, POR EJEMPLO, AL
TELEVISOR. EN OTRO SIGLO SE LAS
HABRÍA ATRIBUIDO A LOS
ESPÍRITUS.

Los delirios recurren para construir un sentido al saber de cada época; esto explica por qué sus temas centrales varían de una época a otra.

En esto Lacan fue más lejos que su maestro en psiquiatría. La locura no es simplemente un producto de la razón, dijo, sino **un ejercicio de una lógica muy rigurosa**. La construcción del delirio puede seguir una cadena de deducciones lógicas mucho más pura que la de una neurosis. Un hombre enamorado puede comerse a su amada.

ES PERFECTAMENTE LÓGICO.
SI QUIERES A ALGUIEN, TENDRÁS
GANAS DE INCORPORARLO A TU SER
Y CONVERTIRTE EN LA MISMA
COSA CON TU AMADA.

En una neurosis este tipo de razonamiento puede presentarse pero más confuso y embrollado.

POR EJEMPLO, PUEDE COBRAR LA
FORMA DE UN SÍNTOMA, SENTIRSE
PESADO O CON DOLOR DE ESTÓMAGO,
DIGAMOS...

En la locura emerge con claridad. El comportamiento en apariencia incomprensible e irracional del psicótico puede tener un sentido perfecto una vez que se explicita su lógica interna.

El Grafo del Deseo

En el texto de 1960, "Subversión del sujeto y dialéctica del deseo en el inconsciente freudiano", Lacan detalla su célebre **Grafo del deseo**, donde formaliza la dinámica del inconsciente y las pulsiones. Abajo aparece la pareja imaginaria ya conocida desde la teoría del estadio del espejo; **la *m* representa al "moi" (el Yo), en tanto que "*i (a)*" es la imagen del otro**. Las relaciones con la imagen especular están ligadas al habla y al lugar que asigna al niño su madre o cuidador/ra. Pero por mucho que hable la madre, ¡el niño no comprende el lenguaje desde que nace! Lleva tiempo dar una significación a los diversos elementos del habla de los adultos cercanos. Al principio, es literalmente una "lengua extranjera".

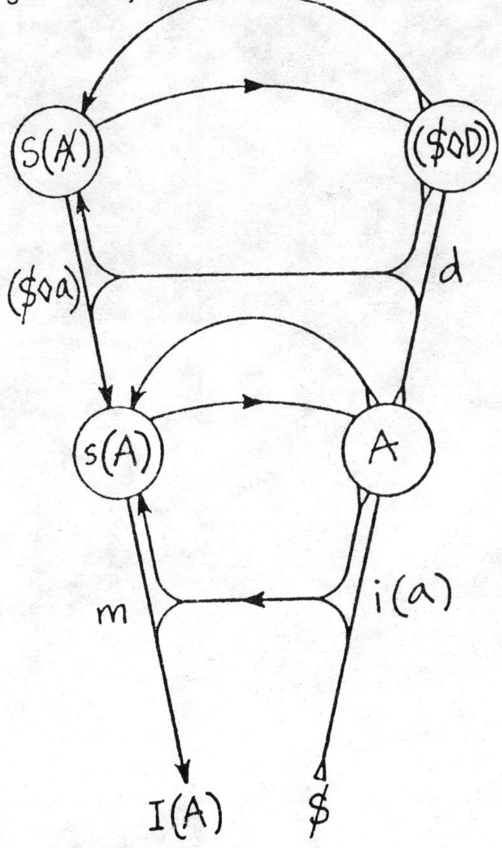

S(A̸)
($◊D)
($◊a)
d
s(A)
A
m
i(a)
I(A)
$

Esta profunda "alteridad" del lenguaje se puede experimentar, quizá, al viajar a un país donde no se hable ni una palabra de la propia lengua natal. Esto nos indica cuán desvalido se halla al principio el niño respecto de lo que luego se volverá su lengua materna.

EL LENGUAJE ES ANTE TODO EXTRAÑO.
oqrisida
площалось в рели
столь далекую
было связано р
деленный и
Ozbekstanni msal qiliв alganda, jarim
sőbb elkeseredetten
tosodott. kulák-agrár ország volt
szempontból? Annak idején a szoci
hirdettük: de vállvonogatva.
pirdim. Xoş, u millij maua
nma demak:
melyek mindent elnye
主义两条道路的
ág háborús-feudális kizsákm
lyharc „kiadásait" tehát
tariátussal szemben álló osztályna
letariátus vezetőinek róttam fel. Ez
fordulatot jelentett. Azt jelentette, ho
nézőpont ellenforradalm
érdekeinek
правильно истолковать эту
Искусство средних веков
определенный круг сюжетов

El símbolo (A)

Lacan simboliza con **(A)** al conjunto de elementos lingüísticos y su **alteridad**. Poco a poco, a medida que el niño asocia significados a los significantes emitidos por los adultos, se van estableciendo en él ciertas significaciones. Que éstas sean "correctas" o "incorrectas" no viene al caso.

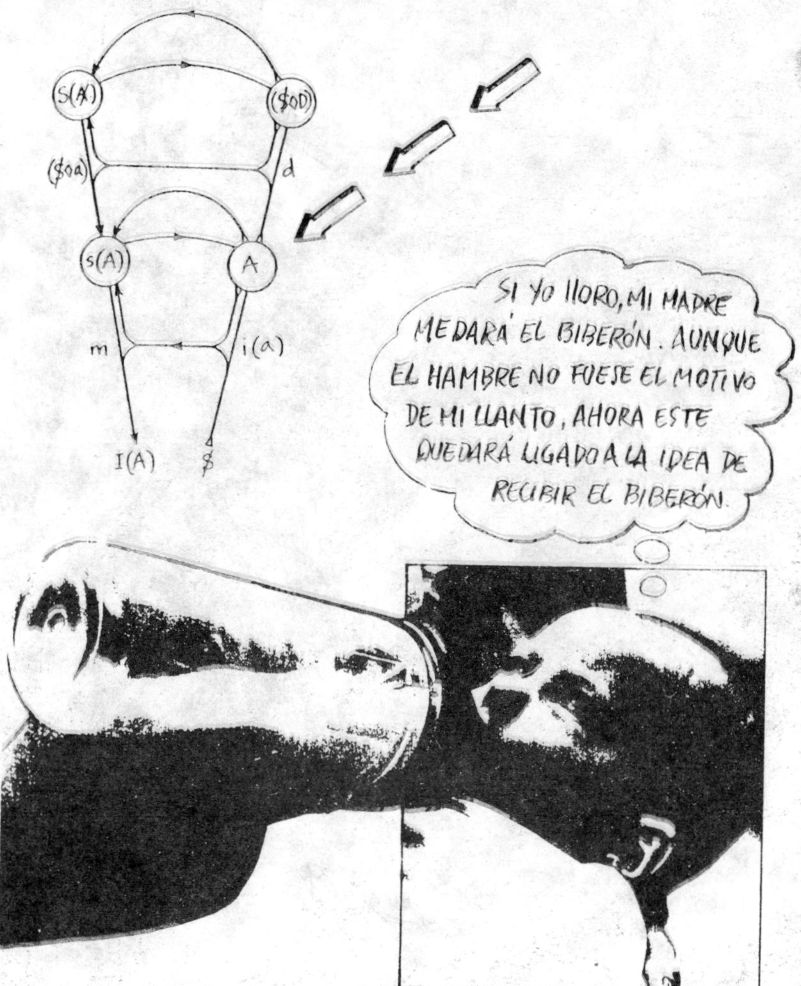

S(Ⱥ)
($◇D)
($◇a)
d
s(A)
A
m
i(a)
I(A)
$
SI YO LLORO, MI MADRE ME DARÁ EL BIBERÓN. AUNQUE EL HAMBRE NO FUESE EL MOTIVO DE MI LLANTO, AHORA ESTE QUEDARÁ LIGADO A LA IDEA DE RECIBIR EL BIBERÓN.

La significación no es transmitida por el niño, entonces, sino que le es impuesta.

El símbolo (A) y s(A)

Así también se le atribuyen significados a las misteriosas palabras, gestos, ademanes y acciones de la madre. Todo esto obra como significante, por la simple razón de que no se lo entiende.

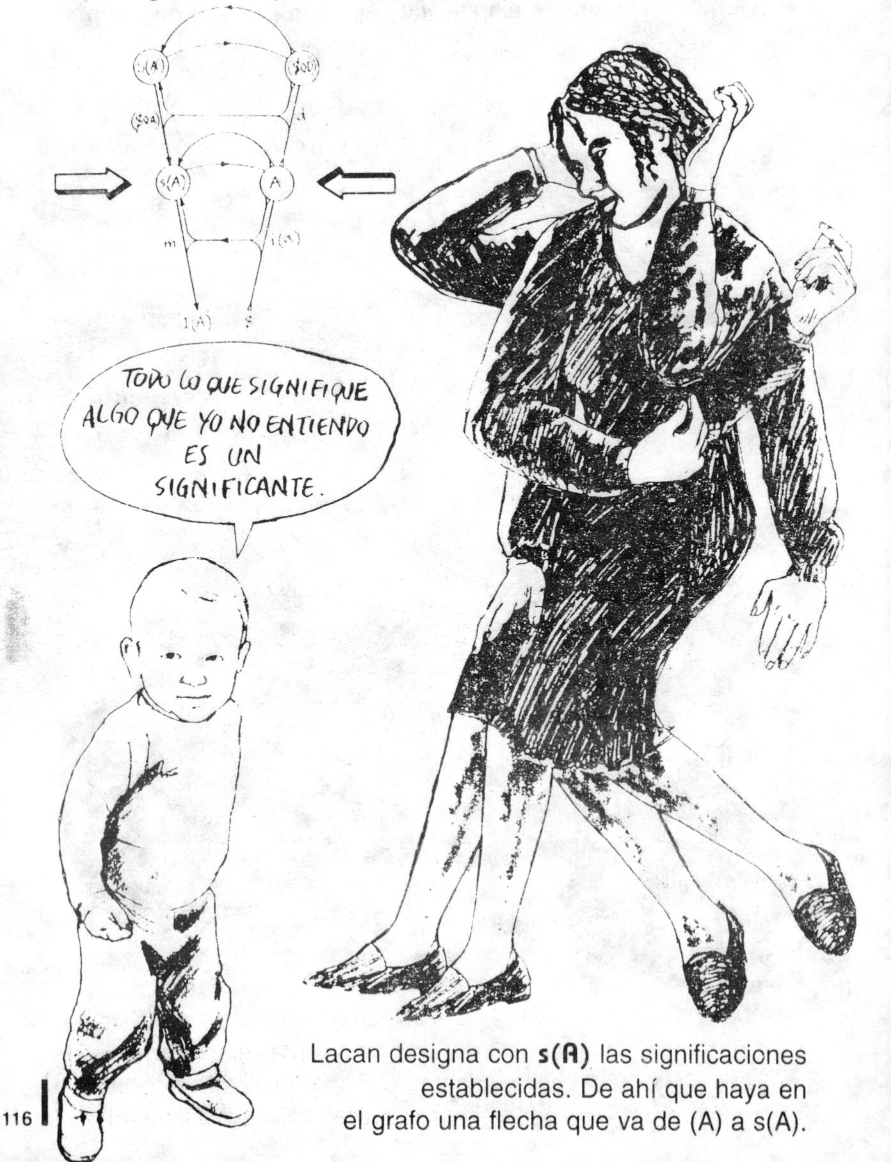
s(A)
A
d
m
i(a)
I(A)
TODO LO QUE SIGNIFIQUE ALGO QUE YO NO ENTIENDO ES UN SIGNIFICANTE.

Lacan designa con **s(A)** las significaciones establecidas. De ahí que haya en el grafo una flecha que va de (A) a s(A).

Los símbolos d y $ D

Pero Lacan insiste en que la palabra y la conducta del adulto nunca se reducen por completo a su significación. Siempre hay algo que no comprendemos, aunque sólo sea marginal.

¿POR QUÉ MI MADRE SE QUEDA CON LA MIRADA PERDIDA AL APOYARSE EN LA VENTANA.
¿POR QUÉ ME DICE QUE NO TOQUE MIS ORGANOS SEXUALES Y CUANDO ME BAÑA PARECE DISFRUTAR TANTO AL TOCARLOS?

Por más que se asigna mucho sentido al Otro, siempre está presente el margen de su deseo (**lo que no comprendemos de él**). A esto Lacan lo designa con **"d"**, el deseo del Otro. Por eso salen dos flechas de A, una que va a lo que comprendemos, s(A), y la otra a lo que no comprendemos (d). Por su parte, (OJO) designa la pulsión. Las pulsiones se establecen cuando ciertas partes del cuerpo cobran un valor especial en la relación del niño con sus padres. No son biológicas, como los instintos, sino generadas por las demandas (D) de los padres (¡Comé! ¡Defecá!).

S (A̸) : significante de lo imposible

S (A̸) representa que en definitiva no hay solución para lo que no comprendemos a nivel del lenguaje. No hay palabras para res-ponder a las preguntas centrales del sexo y la existencia. No im-porta lo que los padres le cuenten al niño acerca de estas cosas: el niño sabe que lo que le dicen es insuficiente. **S (A̸) designa esta imposibilidad**. Pero Lacan no escribió (A̸) , lo cual remitiría a la falta del Otro dentro de la serie de elementos lingüísticos, si-no una S junto a una A "tachada" (A̸), que paradójicamente **de-signa que hay un significante de la propia imposibilidad de significar algo**: una señal de una imposibilidad. Esto es decisivo en la clínica. En el análisis emerge, por ejemplo, en los momen-tos en que se da la presencia muy real de un problema lógico o paradoja ligados a las posibilidades de la significación en sí.

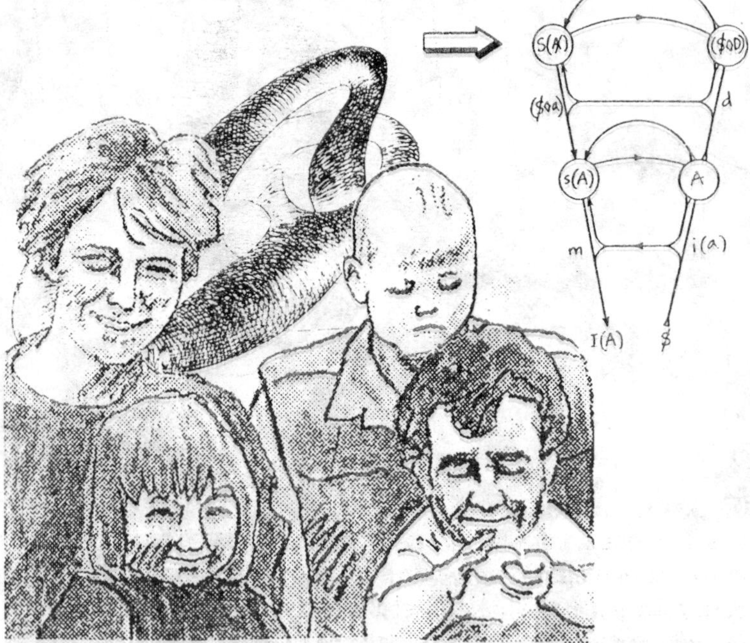
S(A̸)
($◊D)
($◊a)
d
s(A)
A
m
i(a)
I(A)
$

El surgimiento de S (A) es un punto de enorme horror en el aná-lisis. Un individuo acude al análisis con un sueño en el que tra-ta infructuosamente de construir un objeto simétrico a partir de una figura elástica que parece contener un abismo oscuro y ho-rrible. A esto asocia ciertas ideas, a medias elaboradas, sobre ordenar las relaciones familiares.

Un ejemplo clínico

Mucho después, los mismos temas reaparecen en el análisis en un nuevo sueño, que esta vez trata sobre la búsqueda infructuosa de un objeto.

NO LO PUEDO ENCONTRAR PORQUE BUSCO EN UN CUADRADO CIRCULAR.

Las imágenes oníricas traducen en el significante "cuadrado circular", lo que **indicia un punto de imposibilidad lógica**. Aun sin entrar en los pormenores del caso clínico, podemos apreciar que la impotencia del sueño anterior quedó ligada a un significante preciso, que señala la imposibilidad de hallar lo que se busca condensándolo en una imposibilidad formal (cuadrado circular). Esta expresión es un verdadero significante, en la medida en que es muy difícil visualizarla. Está desprendida de las imágenes y referencias fáciles y atractivas.

S(Ⱥ): el vínculo con el fantasma

S (Ⱥ) es, además, un punto ligado con el fantasma, la fórmula siguiente del grafo. Para el niño, el deseo del Otro no es una cuestión abstracta sino una pregunta acuciante.

SI DEBO ENFRENTAR EL ENIGMÁTICO DESEO DEL OTRO, SENTIRÁ UNA ANGUSTIA INSOPORTABLE, PUES NO SÉ LO QUE QUIERE.

Si la metáfora paterna responde a la pregunta "¿Qué quiere la madre?" con la significación del falo, resta aún esta pregunta: **¿Qué soy para el Otro?** Es una pregunta sobre la existencia.

La respuesta a esta pregunta del niño ("¿Qué soy, qué lugar ocupo para el Otro?") es lo que Lacan llama **el fantasma.** Implica asumir la identidad de un objeto al que se ha dado un valor privilegiado en relación con la madre, el tipo de objeto que la terminología psicoanalítica anglosajona llama "pregenital": el pecho, las heces, y —añade Lacan— la mirada o la voz.

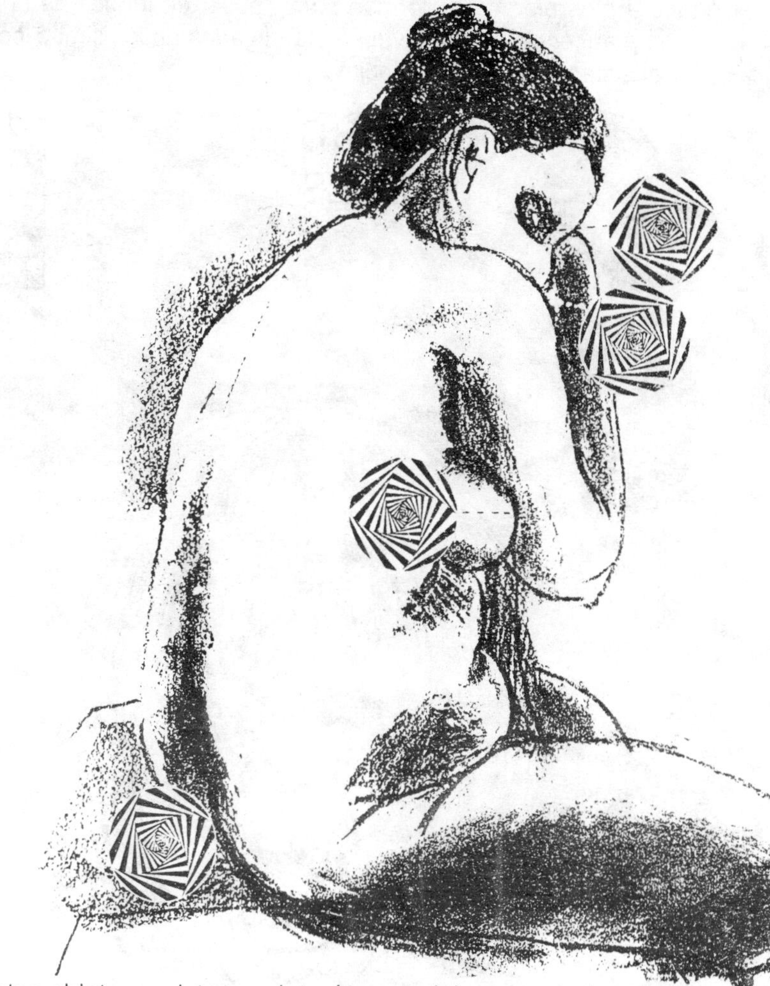

Estos objetos revisten un interés especial porque todos poseen un doble status, o, mejor dicho, tienen coordenadas a la vez reales y simbólicas. Señalan el pasaje de lo real a lo simbólico. ¿Cómo se da éste?

El objeto real

Nótese que todos estos objetos participan en rituales o juegos con la madre. El niño puede volverse en busca de **pecho** y luego rechazarlo (negarse a comer), retener o expeler sus **heces**, ocultar o mostrar su **mirada** ("¡está! ¡no está!"), silenciar su **voz** o hacerla terriblemente presente, como en muchos gritos prolongados. Estos elementos forman parte, pues, de juegos de presencia y ausencia, señal de que están ligados en los simbólicos y en el sistema de las diferencias.

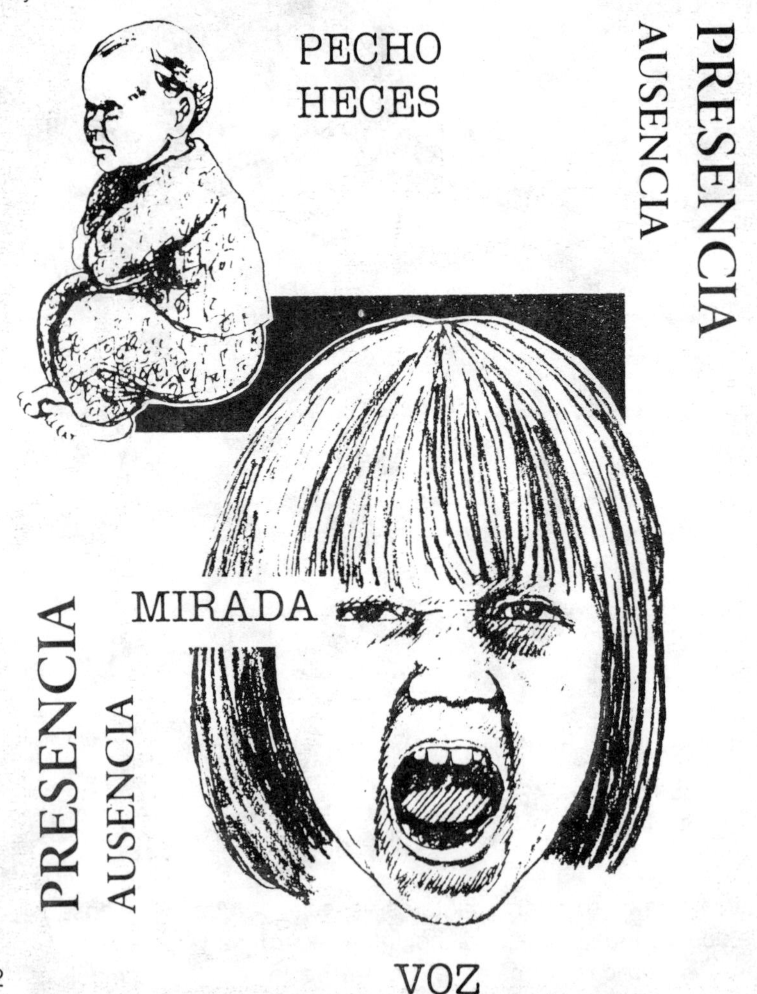
PECHO
HECES
PRESENCIA
AUSENCIA
MIRADA
PRESENCIA
AUSENCIA
VOZ

Las relaciones que los padres mantienen con sus hijos a través del lenguaje suelen centrarse en estos objetos y los bordes del cuerpo que les están asociados. Ellos brindan puntos privilegiados de ubicación del cuerpo en lo simbólico, en el registro de la presencia-ausencia. Cualquier mamá sabe que en cierto momento al niño no le interesa tanto un objeto como jugar con él dejándolo caer y recogiéndolo. O sea, **el niño vincula la trama misma del objeto con el registro de la presencia-ausencia.**

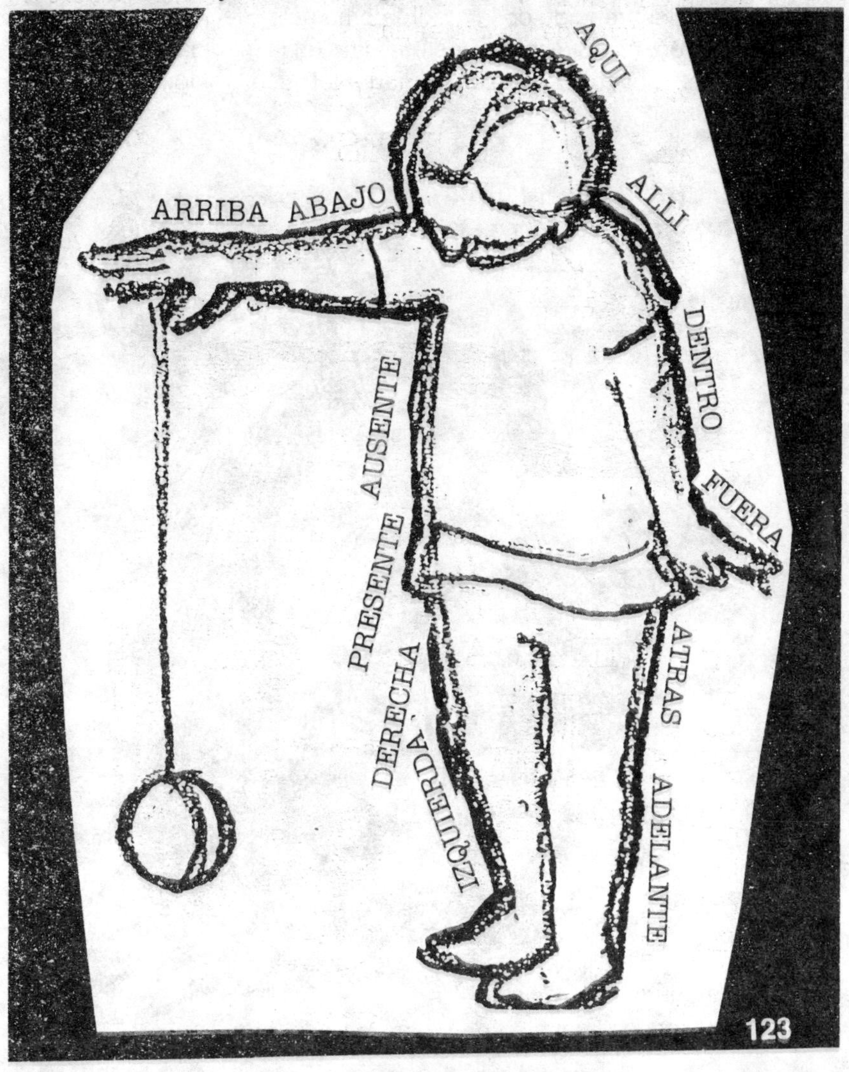
AQUI
ALLI
ARRIBA ABAJO
DENTRO
FUERA
AUSENTE
PRESENTE
DERECHA
IZQUIERDA
ATRAS
ADELANTE

Objetos perdidos

Pero estos objetos tienen a la vez una faz no simbólica. El propio hecho de que sean capturados en lo simbólico implica que se han perdido o están fuera de alcance. En cierto sentido, todos ellos son rechazados por lo simbólico e incluyen la dimensión de la **pérdida**.

El pecho es al principio una parte del niño, no de su madre. Luego es desprendido de la madre como parte del lactante y el niño la pierde, no sólo con el destete, sino en la medida en que su separación evoca la pérdida primaria del saco amniótico al nacer...

EL PECHO ES PRIMERO PARTE DE MÍ, NO DE ELLA.
LAS HECES SON UNA PARTE DE MI CUERPO QUE SE ESFUMA.

a menudo con gran angustia para el niño pequeño.

MI MIRADA ES LO ÚNICO QUE NO VEO REFLEJADO.
Está desprendida de nuestra relación con el resto del campo visual
LA MIRADA
MI VOZ ES LO QUE NO OIGO.
LA VOZ

Si uno trata de escücharse hablar, se confunde: la voz es la cadena significante menos los efectos del sentido. Es una parte del cuerpo que está fuera de uno, y puede retornar aterradoramente en las alucinaciones auditivas de la psicosis. Estos objetos condensan un goce inconsciente, de diversa manera: la madre que vigila a su hijo con una maldad obsesiva muestra cómo puede condensarse el goce en la mirada, y el progenitor que organiza el mundo del niño en torno de su defecación muestra la condensación en el objeto anal. Aunque perdido, el objeto incluye en sí la **presencia** de un goce.

El fantasma residual

Lacan piensa que en el fantasma el niño halla una especie de fijeza o estabilidad invocando a estos objetos como reales; no como objetos circulantes del registro simbólico sino como **residuos de la operación de ingreso en lo simbólico.** La modalidad de exclusión del sujeto de la cadena significante se considera equivalente a la exclusión de fragmentos del cuerpo en cuestión. El niño establece una correspondencia u homología entre dos formas de exclusión, colocando un fragmento corporal en el lugar en que faltan las palabras.

SE PIDIÓ A UN GRUPO INTERNA-
CIONAL, COMPUESTO POR DISTINGI-
DOS ARTISTAS QUE ILUSTRARAN EL
"OBJETO A", PERO TODOS COINCI-
DIERON CON LACAN EN QUE
CARECE DE UNA IMAGEN
ESPECULAR. LO SIENTO.

Ingresar en el mundo del lenguaje y lo simbólico implica despedirse de la relación autoerótica con partes del propio cuerpo. Es el precio que se paga.

Y entonces, en su fantasma, el niño se aferra a ese residuo, el elemento que promete darle alguna identidad en un mundo en que el significante no logra dársela.

Identidad

El lenguaje no nos brinda una identidad apropiada: las palabras que utilizamos son empleadas también por otra gente, en los libros, la TV y otros medios de comunicación. **Las palabras no nos pertenecen**, son alienantes. Aun cuando queramos decir algo íntimo, con el corazón, como "Te quiero", podría inhibirnos el haber escuchado tantas veces decir lo mismo a otras personas.

ES COMO SI LAS PALABRAS FUERAN PROPIEDAD DE ALGO O ALGUIEN DISTINTO.
PERTENECEN AL OTRO
¡TE QUIERO, MI AMOR!

La fórmula del fantasma

Frente a esta imposibilidad de que las palabras designen su ser, el sujeto invoca al único objeto que, según cree, escapa al circuito alienante de la palabra: el objeto a , lo que queda de la operación por la cual uno se convierte en un ser-hablante. De ahí que Lacan escriba al fantasma como (S◊a), indicando así el nexo entre el sujeto y el objeto. Una vez establecida esta fantasía básica, el niño dispone de una especie de brújula o regla para su vida. A esto Lacan lo llama "la significación absoluta".

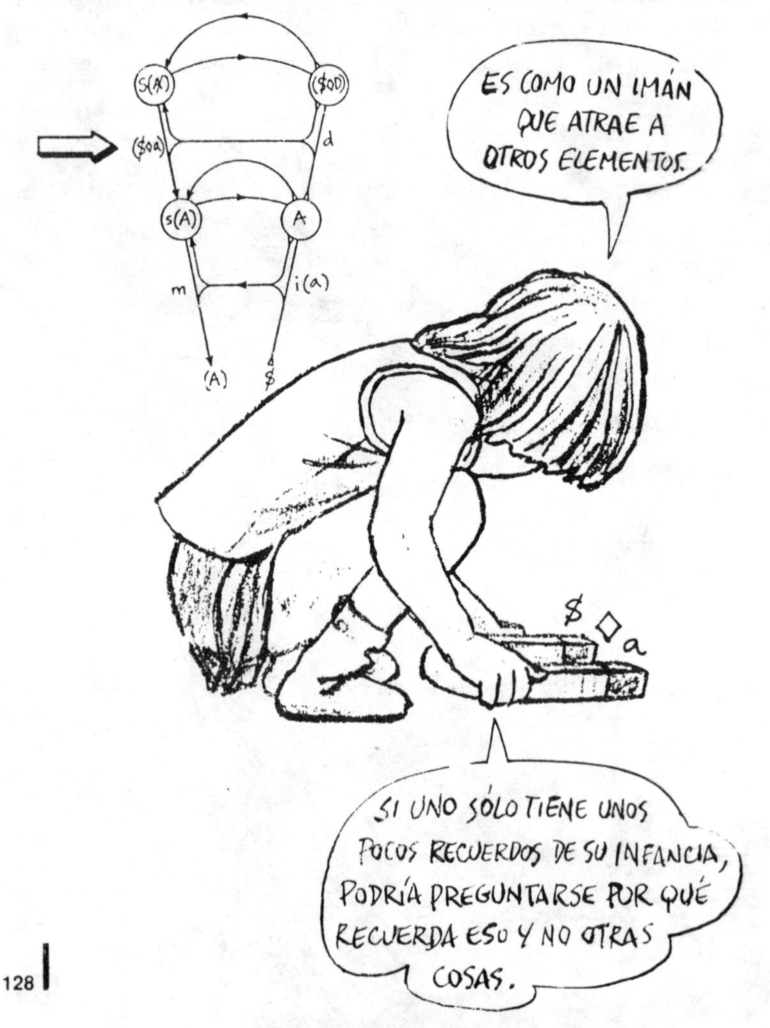
S(A̸)
($◊D)
($◊a)
d
s(A)
A
m
i(a)
(A)
$
ES COMO UN IMÁN QUE ATRAE A OTROS ELEMENTOS.
$ ◊ a
SI UNO SÓLO TIENE UNOS POCOS RECUERDOS DE SU INFANCIA, PODRÍA PREGUNTARSE POR QUÉ RECUERDA ESO Y NO OTRAS COSAS.

El fantasma es una suerte de imán que atrae hacia sí a los recuerdos que se le amoldan. Análogamente, desempeña un importante papel en la determinación de las identificaciones inconscientes.

¿POR QUÉ IDENTIFICARSE CON UNA PERSONA Y NO CON OTRA?
¿POR QUÉ PASAR LA VIDA REPITIENDO LOS ERRORES DE UN DETERMINADO ANTEPASADO Y NO DE OTROS?

Aunque uno no haya conocido a la persona en cuestión, el imán del fantasma está ansioso por atraer cosas oídas o leídas sobre ella. Así, el fantasma nutre las identificaciones inconscientes que importan. De ahí que en el grafo una flecha una ($\$ \diamond a$) con las identificaciones I (A).

Implicancias clínicas

Esta teoría del fantasma tiene importantes consecuencias clínicas. Si en el análisis se pretende ejercer algún efecto en la relación entre el sujeto y su fantasma, y si éste es originalmente una respuesta ante algo oscuro, opaco o misterioso de la madre, ¿no será lo más sensato tratar de introducir el mismo hilo enigmático en el propio tratamiento?

PARA ACCEDER AL MATERIAL FANTASEADO, PARA VER CÓMO RESPONDO AL OSCURO DESEO DEL OTRO, PUEDE HACÉRSELO OPERAR DESDE EL ANÁLISIS MISMO. PERO... ¿CÓMO?
La respuesta es sencilla: no brindando al paciente ningún saber.

El analista se abstiene de dar explicaciones o un sentido a lo que el paciente le dice, ya que esto **tendría como único efecto suprimir la dimensión del deseo**. Y si el deseo es lo que hallamos en las brechas del habla, entre líneas, sería catastrófico prescindir de esa dimensión.

SI DESPUÉS DE UNA GENIAL INTERPRETACIÓN DEL ANALISTA YO DEJO EL ANÁLISIS SE PRESUME QUE FUE POR MI RESISTENCIA.
?

Esto es a menudo cierto, sin duda, pero tal vez el paciente haya abandonado por la razón, muy legítima, de que comprendió que en ese lugar no podía elaborarse el deseo.

Lacan aconsejaba separar el sujeto del saber, en vez de tratar de soldarlos y producir un paciente que supiera todo lo antes posible. **La "x" del deseo debe mantenerse operante en vez de extinguirla.**

Creón y Antígona

En su seminario de 1959-60, "La ética del psicoanálisis", Lacan se explayó sobre este papel clave del deseo en la práctica clínica.

Comparé las dos posiciones opuestas de Creón y Antígona en la tragedia griega de Sófocles, Antígona.

Antígona insiste en su deseo de enterrar a su hermano Polinices, en tanto que Creón le da muchos argumentos razonables para que se abstuviera de hacerlo, debido a que Polinices había transgredido las leyes.

YO PERSISTÍA EN MI DESEO DE ENTERRAR EL CADAVER DE POLINICES PESE A QUE PODÍA SUFRIR PENA DE MUERTE, PUES ÉL ESTABA FUERA DE LA LEY.
YO, EN CAMBIO, LE ENUNCIABA LAS RAZONES PARA QUE NO LO HICIERA, PUES ERA UN TRANSGRESOR.

No obstante, Antígona permanece fiel a su deseo, e incluso no entierra a Polinices una sino dos veces, aun sabiendo que esto le traerá la muerte segura. Renuncia así a las comodidades del palacio de Creón y a todo su bienestar material en aras de su deseo. Creón sólo quiere el bien general, y que las cosas sigan andando sin tropiezos.

La comparación de Lacan diferencia dos posiciones del analista: la que busca el bien, el manejo de los problemas, y la otra, mucho más atemorizante, que permanece fiel al deseo.
Sólo en el psicoanálisis puede plantearse como corresponde el antiguo dilema ético: ¿he actuado en consonancia con mi deseo?

La renuencia de Lacan a transigir y su sensibilidad ante la dimensión del deseo, que siempre defendió, tendría graves consecuencias en el movimiento psicoanalítico poco después.

Fundación de la École Freudienne de Paris

En 1963 Lacan fue eliminado de la nómina de anaiistas didactas de la Société Française de Psychanalyse (SFP). Su práctica y sus ideas teóricas parecían peligrosas y desafiantes para quienes se le oponían en la arraigada jerarquía de la Asociación Psicoanalítica Internacional. Abandonó el Hospital St. Anne, sede habitual de sus seminarios, y se trasladó a la École Normale Supérieur, establecimiento educativo de la élite parisina que había originado una generación tras otra de intelectuales franceses. Este traslado interrumpió un largo seminario previsto sobre el tema de "Los nombres del padre", del que sólo se conoció una sesión. Al poco tiempo Lacan fundó la nueva escuela, la EFP, llamada al principio École Française de Psychanalyse y luego École Freudienne de Paris. Esta institución atrajo a los estudiantes más brillantes de la École Normale junto con muchos integrantes de la antigua SFP. Fue en la École Normale donde abordó el problema de lo que dio en llamar a veces "Los cuatro conceptos fundamentales del psicoanálisis"...

EL NOM... E DEL PADRE

El inconsciente,
la repetición, la pulsión
y la transferencia.

La transferencia y el saber supuesto

La teoría de la transferencia sufrió innovaciones. Lacan la concibió en torno principalmente del saber. Si tenemos un sueño o cometemos un desliz verbal, es probable que no comprendamos su sentido pero sabemos muy bien que, sea cual fuere, éste nos concierne.

SOMOS PORTADORES DE UN SABER SEPARADO DE NOSOTROS.
ESTOY APRENDIENDO ALEMAN PARA HABLAR A FREUD
LEER
READ
LLEVAMOS CON NOSOTROS UN SABER SOBRE EL CUAL NADA SABEMOS.

La transferencia implica en parte atribuir un sujeto a este saber, de modo tal que el paciente advierte que hay un saber del que está separado y asume que existe un sujeto de ese saber, identificado con el analista.

El analista es entonces el sujeto "supuesto" de ese saber. **Una vez que se establece esta suposición, se produce la transferencia**. ¡Qué distinta es esta concepción de la idea clásica de la transferencia, por la cual uno se comporta hacia alguien que se parece a su madre o a su padre como si lo fuera!

Para mí la transferencia no deriva tanto de que el analista se parezca a mamá o a papá, sino de la propia PALABRA.
CUANTO MÁS ASOCIO LIBREMENTE, MÁS ME ENFRENTO CON EL SABER DEL QUE ESTOY SEPARADA.

La transferencia y el objeto

Pero Lacan demuestra que la transferencia tiene otra faz, que implica algo opuesto al saber: *el objeto a*. Cuanto más alienado está el sujeto en el lenguaje, cuanto más acelera sus enunciaciones con respecto a lo que quiere decir, cuanto más deslices comete, en síntesis, cuanto más se pierde en la asociación libre...

CUANTO MÁS ME CIERNO SOBRE EL OBJETO FANTASEADO ("EL OBJETO A"), QUE SEGÚN CREO ME DARÁ CIERTA SEGURIDAD PARA SER FUERA DEL CAMPO...

a

... cuanto más opera la transferencia en la dirección de una apertura del inconsciente, cuanto más material produce, ¡tanto más emergerá el objeto para BLOQUEAR Y OBSTRUIR esta producción!

Separación

LA TRANSFERENCIA ES A LA VEZ LA MAYOR HERRAMIENTA Y EL MAYOR ENEMIGO DEL PSICOANÁLISIS

A la idea de Freud se le da una nueva formulación, considerando que abarca tanto la apelación al saber como el silencioso abrazo del "objeto a", al que lacan lo denomina "separación". Alude a la separación de la cadena significante, del circuito de la palabra.

Cuanto más se aliena el sujeto en la palabra, más se separa de ésta para refugiarse en la relación fantaseada con el objeto.

La transferencia muestra, pues, **una oscilación entre la alienación y la separación.**

El goce

En la década de 1960, la obra de Lacan se interesó cada vez más por tratar de enunciar la lógica de lo que él llamaba **jouissance**, palabra que a través de Edmund Spenser (en Faerie Queene) y otros autores ya formaba parte del vocabulario literario inglés desde el siglo XVI. Si bien normalmente se la traduce como "goce", en general Lacan se refiere con ella a **lo que le resulta intolerable al organismo**.

DEMASIADA ESTIMULACIÓN O O EXCITACIÓN, O QUIZÁS DEMASIADO POCA, COMO SE APRECIA EN CIERTOS CASOS DE APATÍA.

El 99% de las veces el goce es sentido como un sufrimiento intolerable.

EL PROBLEMA ES QUE PARA LAS PULSIONES INCONSCIENTES ESO MISMO ES VIVENCIADO, POR EL CONTRARIO, COMO UNA SATISFACCIÓN.

El goce es real, en la acepción lacaniana, o sea, algo que está fuera de la simbolización y el sentido, es constante y vuelve siempre al mismo lugar para provocar sufrimiento.

Repetición

Hacia comienzos de la década de 1920, Freud y sus primeros discípulos habían llegado a la conclusión de que la vida psíquica no podía reducirse a las fórmulas lingüísticas y mecanismos de lo inconsciente. ¡Aunque uno interpretase brillantemente un síntoma, éste se rehusaba a cambiar!

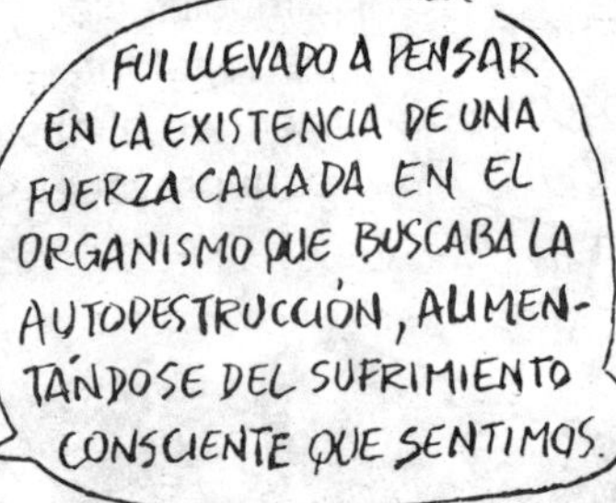
FUI LLEVADO A PENSAR EN LA EXISTENCIA DE UNA FUERZA CALLADA EN EL ORGANISMO QUE BUSCABA LA AUTODESTRUCCIÓN, ALIMENTÁNDOSE DEL SUFRIMIENTO CONSCIENTE QUE SENTIMOS.

Conectó esto con la compulsión de los seres humanos a la repetición.

REAL

Es un hecho que la gente sigue cometiendo, a lo largo de su vida, los mismos errores y tomando las mismas decisiones erróneas que les provocan aflicción y dolor.

Si la mayoría de la gente no aprende del pasado, es justamente porque tiene gran interés en sufrir. Por lo tanto, en la práctica analítica el gran rival es el goce, y Lacan abordó esto conceptualmente de diversas maneras. **El campo del psicoanálisis no estaba ocupado en modo alguno sólo por el lenguaje.** Lo real (en tanto ajeno al sentido y la significación) había pasado a tener un rol central bajo la forma del goce. La presencia diferente, heterogénea y mortífera del goce muestra que la obra de Lacan no puede reducirse, como a menudo se lo hace, a resaltar la importancia del lenguaje. El principal problema en estudio ha pasado a ser la relación entre el lenguaje y el goce.

Volviendo a los primeros trabajos de Lacan, Jacques-Alain Miller ha señalado que puede hallarse las características del goce en el lugar asignado a principios de los años cincuenta al registro imaginario: una apatía, algo que bloquea el avance de la asociación libre, algo letal. Pero ahora Lacan disocia su idea del goce del registro de la imagen.

JOUISSANCE

Opera silenciosa e invisiblemente para alcanzar sus metas destructivas

Aunque en la psicosis el goce opera más calladamente, en el psicótico emerge de su penumbroso ámbito para invadir la vida del sujeto, avasallando al esquizofrénico en su cuerpo o al paranoico en sus ideas persecutorias. En la paranoia, el goce es ligado a algo externo.

LO IDENTIFICO CON LO OTRO, CON ALGUNA INSTANCIA EXTERNA A MI, COMO LA TELEVISIÓN, LA CIA O LOS VECINOS, Y LUEGO LO VIVO COMO UNA PERSECUCIÓN...

La regulación del goce

La vida humana tendría el claro propósito de regular el goce. Nacemos con el goce en el cuerpo, con una excitación o un bombardeo excesivos de estímulos de los que el organismo debe librarse. Al crecer, **es drenado del cuerpo**: el destete, la educación, las reglas y normas del mundo social...

EL OTRO INSISTE EN QUE YO SITÚE MI CUERPO EN UN SISTEMA QUE ME DICE QUÉ PUEDO HACER Y CUÁNDO.

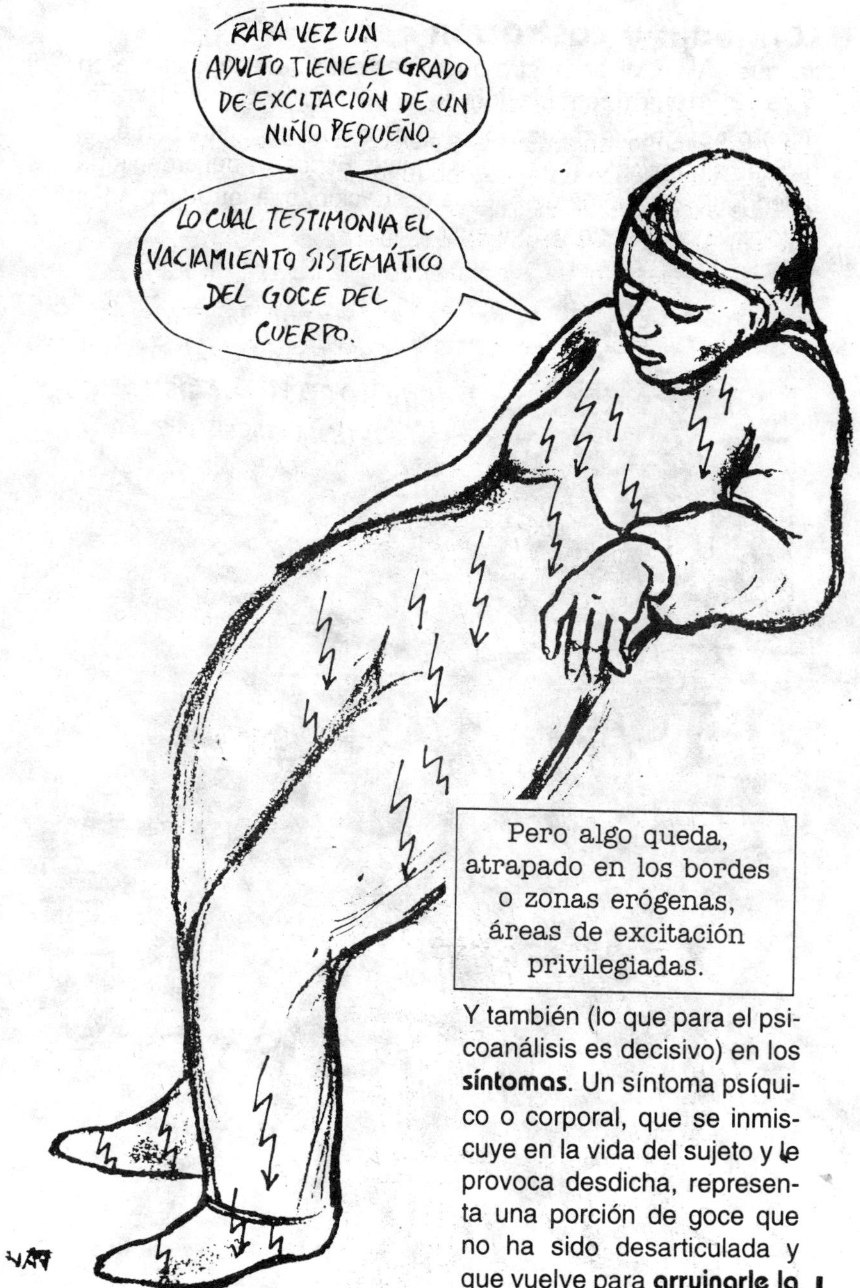

RARA VEZ UN ADULTO TIENE EL GRADO DE EXCITACIÓN DE UN NIÑO PEQUEÑO.
LO CUAL TESTIMONIA EL VACIAMIENTO SISTEMÁTICO DEL GOCE DEL CUERPO.

Pero algo queda, atrapado en los bordes o zonas erógenas, áreas de excitación privilegiadas.

Y también (lo que para el psicoanálisis es decisivo) en los **síntomas**. Un síntoma psíquico o corporal, que se inmiscuye en la vida del sujeto y le provoca desdicha, representa una porción de goce que no ha sido desarticulada y que vuelve para **arruinarle la existencia.**

Lenguaje y castración

Jacques-Alain Miller mostró que estas consideraciones llevaron a Lacan a una reformulación de la castración **como el vaciamiento del goce del cuerpo**. El agente de esta castración es el registro simbólico como tal: el lenguaje. El pasaje del organismo al lenguaje y a través de él es la castración, que introduce en el mundo la idea de pérdida y ausencia.

EL SÍMBOLO DE ESTE PASAJE ES, COMO SIEMPRE, EL FALO. ASÍ SE REPRESENTA EL INCONSCIENTE LA IDEA DE LA PÉRDIDA.

La reformulación de Lacan tiene importantes corolarios clínicos.

EL GOCE ES REAL Y ESTÁ FUERA DEL REGISTRO DE LA IMAGEN Y DE LO SIMBÓLICO, ¿CÓMO PUEDE EL PSICOANÁLISIS OBRAR SOBRE ÉL, DADO QUE SU PRINCIPAL HERRAMIENTA ES LA PALABRA.
La respuesta es la tesis de que el lenguaje opera "cambios" en el goce.
Lo que automáticamente pone en tela de juicio las terapias según las cuales el organismo puede ser cambiado en su esencia por prácticas no simbólicas.
Este tema preocupó a Freud desde sus primeros trabajos psicoanalíticos, en la década de 1890.
PARA MÍ LA PSIQUE ERA UNA RED DE REPRESENTACIONES EN LA QUE ACTUABA CONSTANTEMENTE UNA SUMA DE EXCITACIONES.

La psique debía encontrar la manera de descargarse del exceso, sobre todo encauzándolo y abriéndole nuevas rutas mediante la red de representaciones.

El pase

En 1967, Lacan introdujo en el psicoanálisis una nueva costumbre llamada "el pase". Desde el origen de las instituciones psicoanalíticas, el fin del análisis había sido un tema de controversias. La invención de Lacan apuntaba a **ofrecer literalmente un "pase" allí donde otros sólo encontraban un "impase"**.

CONVERSO SOBRE MI ANÁLISIS Y MI TRÁNSITO A LA POSICIÓN DE ANALISTA CON MIS "PASANTES", QUE SON SOBRE TODO INTERLOCUTORES ESCOGIDOS QUE SE HALLAN EN UN PUNTO DE SU ANÁLISIS SIMILAR AL MÍO.
LUEGO CADA UNO RELATA LO QUE ESCUCHÓ A UN COMITÉ.
Y SE DECIDE SI EL SUJETO A LOGRADO REALMENTE EL "PASE".
PASE

Este procedimiento fue una audaz innovación, mostrando que el análisis personal no clausuraba la relación de cada uno con el psicoanálisis.

Al relatar el propio análisis a otros, el material puede ordenarse y reubicarse y surgen nuevas perspectivas, aunque esto no significa necesariamente que uno haya "pasado".

PUEDE FORMALIZARSE Y DIVIDIR EL LARGO DEVANEO DEL PSICOANÁLISIS, Y PONER DE MANIFIESTO SU LÓGICA, TAREA ÉSTA QUE SÓLO PUEDE REALIZARSE FUERA DEL ANÁLISIS PERSONAL.
Y HAY ALGO DECISIVO: PUEDE ESTUDIARSE EL DESEO DEL ANALISTA, EL HECHO DE QUE HAYA ASUMIDO LA POSICIÓN DE ANALISTA.

Se mostró así que la experiencia analítica se extendía más allá de sus límites tradicionales. El pase sigue siendo materia de acalorados debates en la comunidad analítica y constituye una de las más interesantes áreas de investigación del psicoanálisis contemporáneo, ya que los analizantes brindan así a la comunidad analítica un material que de otro modo quedaría envuelto en la oscuridad y el silencio. Procuran explicar lo que realmente sucedió en su análisis, en qué momentos se produjeron cambios cruciales, y por qué motivos. En vez de confiar sólo en el testimonio voluble de los libros que de vez en cuando ciertos autores escribían sobre sus análisis, Lacan encontró así la manera de insertar la experiencia personal como parte del trabajo de una escuela psicoanalítica.

Los sucesos de mayo de 1968

A diferencia de muchos otros intelectuales, Lacan reaccionó ante los sucesos de mayo de 1968 sin glorificar al movimiento estudiantil pero tampoco manteniéndose a una cómoda distancia. Respetó el llamado a la huelga e interrumpió sus seminarios, reuniéndose en diversas ocasiones con los dirigentes estudiantiles, incluso con Daniel Cohn-Bendit. También firmó una solicitada de solidaridad con los estudiantes.

LUTTE CONTRE
COHN-BENDIT
No andaré con rodeos: ¡lo que ustedes quieren es otro amo!

Según su opinión de que las verdaderas revoluciones parten de zar la estructura del "amo". Produjo formalizaciones de los cuatro discursos que a su entender constituían el vínculo social:
cuatro discursos que a su entender constituían el vínculo social:

LA LUTTE
CONTINUE
solidarité
EFFECTIVE
étudiants
travailleurs
Los discursos del amo, de la histeria, de la Universidad y del analista.
$\frac{S_2}{S_1} \xrightarrow{U} \frac{a}{\$}$ $\frac{S_1}{\$} \xrightarrow{M} \frac{S_2}{a}$ $\frac{\$}{a} \xrightarrow{H} \frac{S_1}{S_2}$ $\frac{a}{S_2} \xrightarrow{A} \frac{\$}{S_1}$
POUR UNE

La popularidad de Lacan entre el estudiantado y su cuestionamiento de las formas de poder establecidas llevaron a que en 1969 el director de la École Normale Supérieur le quitara el aula de su seminario regular. Esto provocó protestas y la ocupación del despacho del director por varios de los asistentes habituales a sus seminarios, como Antoinette Fouque, Julia Kristeva y Philippe Sollers. El seminario prosiguió en la Facultad de Derecho, en el lugar del Panteón.

Director

Lalengua

A comienzos de la década del setenta, Lacan dedicó creciente atención al papel del goce en la sexualidad humana, campo éste que había analizado con tanta sutileza a fines de los años cincuenta con las herramientas teóricas del deseo y el falo. Si hasta entonces el lenguaje y el goce habían permanecido diferenciados en la mayoría de sus formulaciones, ahora Lacan aducía que **el lenguaje tiene un aspecto que es en sí mismo una forma de goce**. Tradicionalmente se consideraba que el lenguaje se componía de significantes ligados a otros significantes, pero él propuso que había un significante carente de tales nexos...

Un Uno que compone "lalengua", una amalgama de libido y de significantes.

El lenguaje no sólo tenía efectos de sentido y significación, sino efectos directos de goce. Estas ideas complicaban la noción aceptada de que la libido y el goce eran de distinta naturaleza que los elementos lingüísticos.

La lógica de la sexuación

En el seminario titulado "Encore", Lacan sostuvo que las estructuras básicas de la sexualidad masculina y femenina se regían por lo que llamó "fórmulas de la sexuación". En su libro ***Tótem y Tabú***, Freud había dicho que el origen mítico de la sociedad era una horda primordial en la cual un padre codicioso y celoso acaparaba a todas las mujeres.

NOSOTROS, SUS HIJOS, ESTÁBAMOS PRIVADOS DE TODA RELACIÓN SEXUAL CON ELLAS.
Y PARA ACCEDER A ELLAS, NOS REVELA Y MATAMOS NUESTRO PADRE.

PERO LUEGO, ARREPENTIDOS, NOS VEDAMOS A NOSOTROS MISMOS ACERCARNOS A LAS MUJERES POR LAS QUE HABÍAMOS MATADO.
LA PRIMERA LEY DE LA SOCIEDAD FUE LA QUE LOS HIJOS SE IMPUSIERON A SÍ MISMOS COMO CONSECUENCIA DEL AMOR POR SU PADRE ASESINADO Y DE SU REMORDIMIENTO.

Si bien a esta ley se la entiende como una prohibición del goce, en su origen se basa en un goce obsceno, perverso, descontrolado: el del padre primordial.

Todos los hombres...

Lacan afirma que la ley de la prohibición siempre supone en su horizonte una excepción, alguien que escapa a la ley. Si todos los hombres están subordinados a la ley, uno la elude.

$\forall x \, \Phi x$
$\exists x \, \overline{\Phi x}$

Esta estructura es constitutiva de la sexualidad masculina. Si todos los hombres están sujetos a la prohibición, a la castración, hay al menos uno que se salva.

El relato de Freud en Tótem y tabú era tal vez un mito, pero **Lacan trató de extraer de él una estructura lógica** y de fijar una notación para la sexualidad.

Goce suplementario

Señaló que en la literatura psicoanalítica no existe ningún mito como el contenido en ***Tótem y Tabú*** sobre la sexualidad femenina. Según él, las mujeres participaban en una lógica muy distinta que la de los hombres.

> No todos los sujetos están sujetos a la castración, aunque no existe un sujeto que no sea sujeto de castración.

El goce de un ser-hablante puede ser fálico o "suplementario": nacido del complejo de castración pero no ligado al órgano y sus límites.

LA IDEA ES QUE UNA VEZ QUE EL COMPLEJO DE CASTRACIÓN SE HA ESTABLECIDO LA FALTA EN LA VIDA DE ALGUIEN, ESTA FALTA PUEDE DE POR SÍ ASUMIR UN VALOR LIBIDINAL.

El sujeto no trata de llenar esa falta (eso sería un goce fálico), sino darle un nuevo valor como tal, a fin de **producir goce por dicha ausencia.**

No-todo

Tanto los hombres como las mujeres están sujetos a la imposición del orden simbólico y de las redes de significantes.

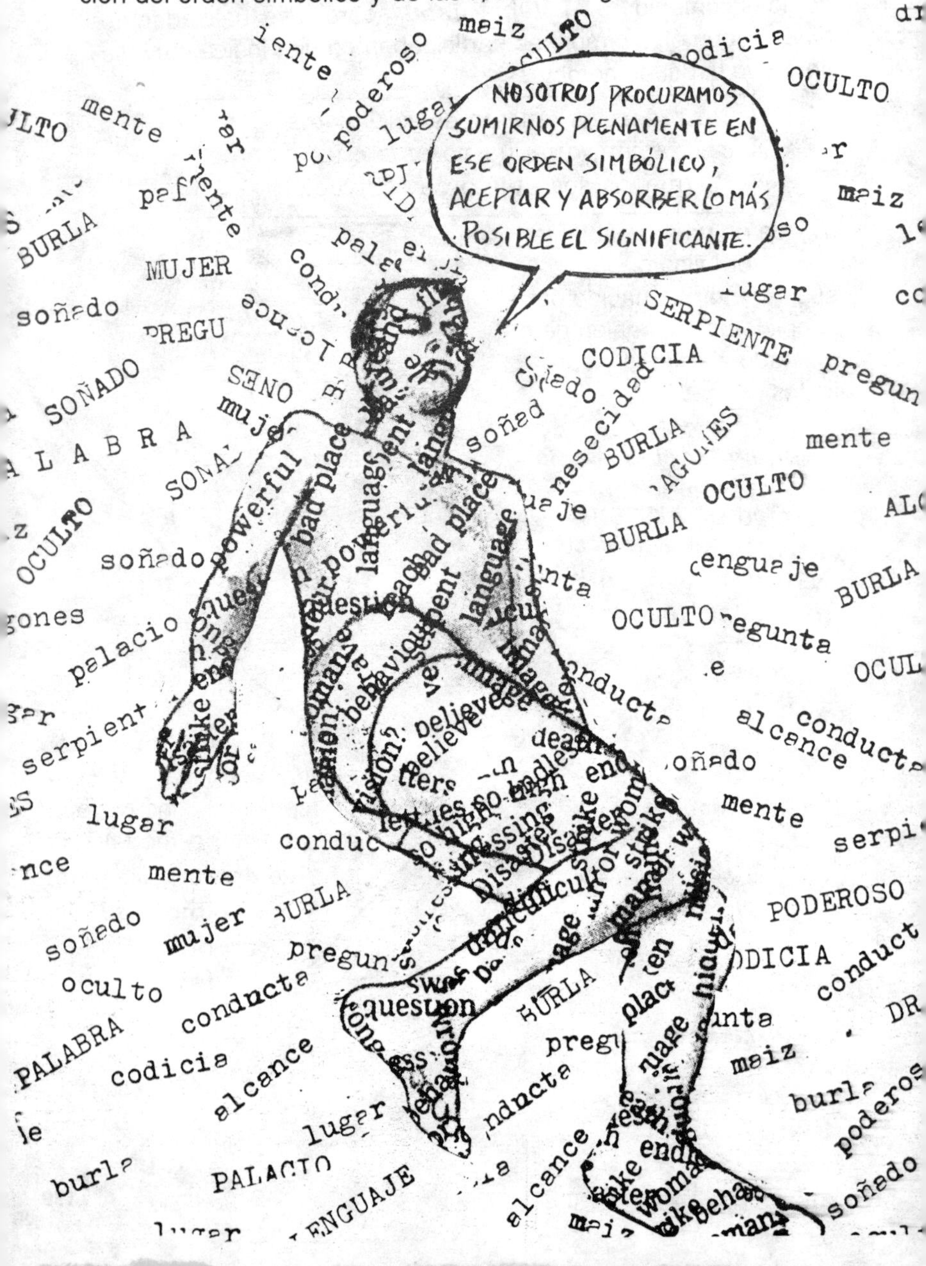
NOSOTROS PROCURAMOS SUMIRNOS PLENAMENTE EN ESE ORDEN SIMBÓLICO, ACEPTAR Y ABSORBER LO MÁS POSIBLE EL SIGNIFICANTE.

MIENTRAS QUE NOSOTRAS NO SÓLO SABEMOS QUE EN EL MUNDO HAY ALGO MÁS QUE SIGNIFICANTES, SINO QUE PROCURAMOS, A VECES MUY RESUELTAMENTE, HACER DE ESE ALGO UNA PARTE DE NUESTRA VIDA.

De ahí que Lacan diga que las mujeres son "no-todas" en el campo de la castración simbólica, por más que la dinámica en cuestión sólo existe gracias a la presencia inicial de esta dimensión simbólica.

En la práctica clínica

Todas estas fórmulas parecen extraordinariamente abstractas y alejadas de la práctica clínica, pero no es así. La sexualidad entraña una suerte de materialización de estas estructuras en las asociaciones del paciente, y gran parte de los datos pueden entenderse precisamente como un intento de introducir las fórmulas a las que Lacan dio una base lógica.

INSISTO EN IDENTIFICARME CON UNA SERIE DE TIRANOS CÉLEBRES, Y LUEGO CON LO QUE YO LLAMO "TODOS LOS HOMBRES DEL MUNDO".

El material clínico indica que aquí lo que está en juego es la primacía otorgada a personas que, según el niño, están fuera de la ley y **ocupan el lugar de las excepciones**.

Aunque este chico estaba atrapado en un mundo en que el complejo de Edipo no era nada típico, vemos su tentativa de reubicar su estructura, tal vez de una manera disparatada, encarnando la lógica que ella supone: la de la excepción y la regla.

PARA QUE EXISTAN "TODOS LOS HOMBRES DEL MUNDO" TIENE QUE HABER UNA EXCEPCIÓN: EL TIRANO.

Se da así una nueva carnadura a la lógica de ***Tótem y Tabú.*** Las fórmulas lacanianas resultan útiles y explicativas en la clínica actual. Su elaboración revela la preocupación constante de Lacan por hallar el modo de formalizar los procesos psíquicos.

La topología y los nudos

El interés de Lacan por las técnicas matemáticas es un resultado directo de su manera de concebir el inconsciente, ya en sus primeros trabajos. Si el inconsciente se compone de relaciones entre significantes, **debe haberles sido impuesto un orden o estructura** que los mantiene unidos y organiza dichas relaciones. Un significante es un elemento aislado, distinto de otros significantes, y por ende puede considerárselo un elemento componente de un conjunto. Ahora bien: un espacio es un conjunto de puntos; entonces, **una red de significantes constituirá un espacio**. Como la matemática brinda muchas formas de investigar las propiedades de los espacios, hacia ahí apuntó Lacan. En principio estudió las propiedades de las superficies, y luego, en la década de 1970, las de los nudos, como enseguida veremos.

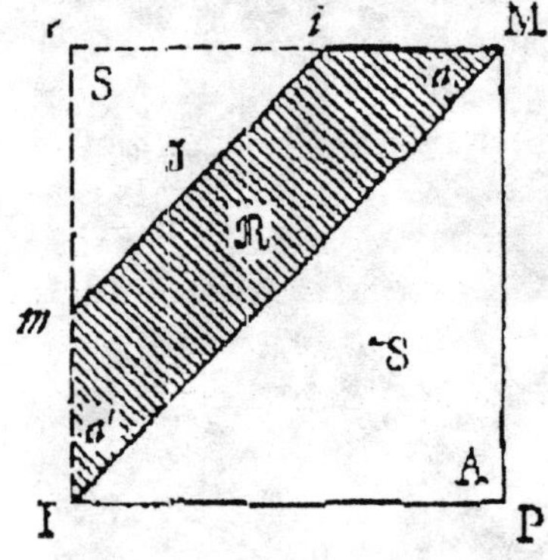
i
M
S
a
m
a'
A
I
P

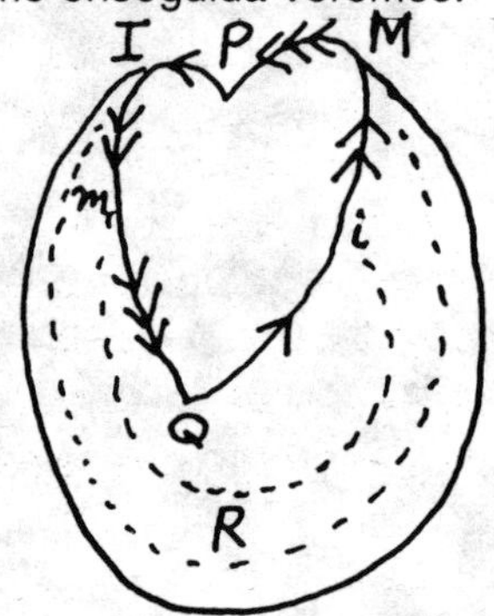
I
P
M
m
i
Q
R

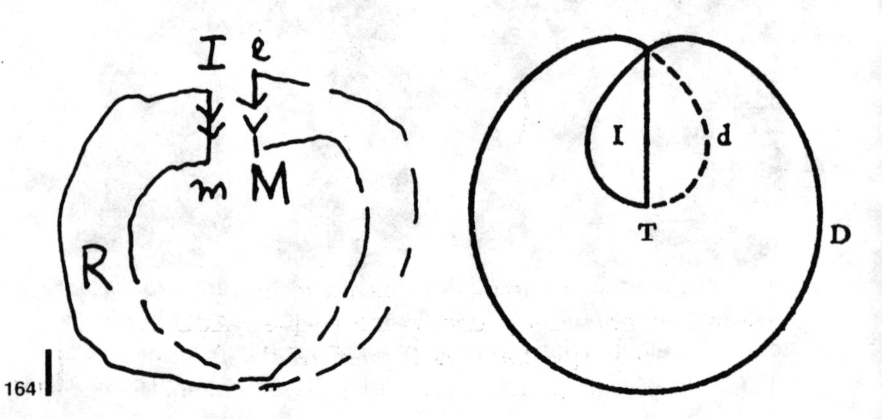
I
e
Y
m
M
R
I
d
T
D

RSI

En su seminario "RSI", Lacan volvió a ocuparse de las relaciones entre los tres órdenes: **lo real** (R), **lo simbólico** (S) y **lo imaginario** (I). En los años cincuenta había dado prioridad a lo simbólico, diciendo que era el orden responsable de estructurar a los otros dos, pero ahora postuló una especie **de equivalencia entre los tres órdenes**. Lo que importaba no era tanto la prevalencia de uno sobre otro, sino el modo en que estaban ligados. Invocó la estructura de ciertos nudos y profundizó su investigación, volviendo una vez más a la matemática en busca de formalizaciones. Aunque a muchos estas teorizaciones les parecieron (y aún les parecen) harto abstrusas y carentes de aplicación clínica, lo cierto es que abordaba problemas prácticos muy reales, en particular los de las estructuras psicóticas y lo que los psicólogos anglosajones llaman casos "fronterizos".
En la década de 1950, la idea era que lo que mantiene a las cosas más o menos en su lugar es el nombre del padre. Es éste el que une todo y garantiza, en cierto sentido, el complejo de Edipo. Ahora Lacan aducía que no importa tanto el nombre del padre como tal sino **cualquier elemento o artificio que mantenga unidos a los tres órdenes** (lo real, lo simbólico y lo imaginario). En sus argumentaciones se aprecia una suerte de funcionalismo.

Lo que importa no es tanto lo que
ES el nombre del padre, como lo que HACE,
y lo que hace es NOMBRAR.

Nudos

Esta formulación reviste gran interés clínico, ya que permite comprender las construcciones e invenciones delirantes (en cualquier sentido del término) de una psicosis. Ellas pueden contribuir a mantener unidos lo real, lo simbólico y lo imaginario. La conocida presencia de máquinas, computadoras y productos científicos en ciertos sistemas psicóticos puede ser así explicada de una manera novedosa. Pueden utilizarse o inventarse objetos destinados a reunir elementos de la imagen corporal (lo imaginario), los circuitos lingüísticos o de computación (lo simbólico) y la excitación o el dolor extremos (lo real).

Cabe concebir entonces a un sistema psicótico exitoso como un nudo, o aun como un nombre propio, que enlaza los tres órdenes. Vemos que Lacan no desatiende los problemas de la clínica, en especial porque la comprensión de este uso de los nudos puede ser de un valor inestimable para guiar la labor con los psicóticos.

Sinthome

A ese elemento capaz de ligar entre sí lo real, lo simbólico y lo imaginario, Lacan le dio un nuevo nombre: el "sinthome" [sinthome], haciendo un juego de palabras que alude al "síntoma", el "santo" [saint] y "Santo Tomás [de Aquino]". La idea de que este elemento cumple una función anudadora introduce nuevos problemas para la investigación, ya que aborda directamente la antigua cuestión psicoanalítica y psiquiátrica de la psicosis **sin factores desencadenantes**.

HAY PERSONAS QUE TIENEN UNA ESTRUCTURA PSICÓTICA PERO NO PADECEN LOS SÍNTOMAS CLÁSICOS DE UNA PSICOSIS CABAL, COMO LAS ALUCINACIONES, ETC.
¿QUÉ HICIERON PARA NO CAER VÍCTIMA DE LOS FACTORES DESENCADENANTES?
¿QUÉ HICIERON PARA EVITAR LA LOCURA?

Seminario sobre Joyce

La teoría del "sinthome" sugiere que tales individuos lograron anudar lo real, lo imaginario y lo simbólico. Lacan estudió tales anudamientos en el seminario de un año de duración que dedicó a James Joyce, en 1975-76. Allí sostuvo que Joyce sería un ejemplo de dicha estructura. En sus escritos ligó los registros y **se convirtió él mismo en el sinthome** haciendo célebre su nombre.

CON MIS ESCRITOS ME CONVERTÍ EN "JOYCE", EL NOMBRE QUE YO QUERÍA QUE LOS ACADÉMICOS SIGUIERAN ESTUDIANDO DURANTE SIGLOS.
JOYCE

Si el padre de Joyce había fallado en algún aspecto en cuanto a darle un nombre, a través de su arte él literalmente **se nombró a sí mismo.**

La forma de estos nudos sigue en estudio por la comunidad psicoanalítica lacaniana. Por lo tanto, podemos marcar un tránsito en la obra de Lacan desde el énfasis en el padre en la década de 1950 al énfasis en el sinthome en la de 1970. Tal vez este movimiento responda justamente al cambiante cuadro que hoy presenta la clínica, y nos recuerda la referencia que hacía Lacan en su artículo de 1938 en la ***Encyclopédie*** a la decadencia de la imago paterna en la civilización moderna.

SINTOMA

Disolución

En 1980, Lacan disolvió la EFP, la escuela de psicoanálisis que había fundado dieciséis años antes.

Sentí que la transmisión del psicoanálisis se había estancado y que el foro analítico había sido invadido por la inercia.

Fue creada una nueva escuela, la Ecole de la Cause Freudienne, que aún continúa su labor. Lacan murió el 9 de setiembre de 1981.

En la actualidad su obra prosigue en el marco de la Asociación Mundial de Psicoanálisis, que incluye a la École de la Cause Freudienne, la European School of Psychoanalysis y a tres grandes escuelas de América del Sur. En Gran Bretaña, el Círculo de Psicoanálisis de Londres que integra la Escuela Europea, y el Centro de Análisis e Investigación Freudianos ofrecen espacios para el debate y el estudio de la obra de Jacques Lacan, así como de las consecuencias de sus teorías.

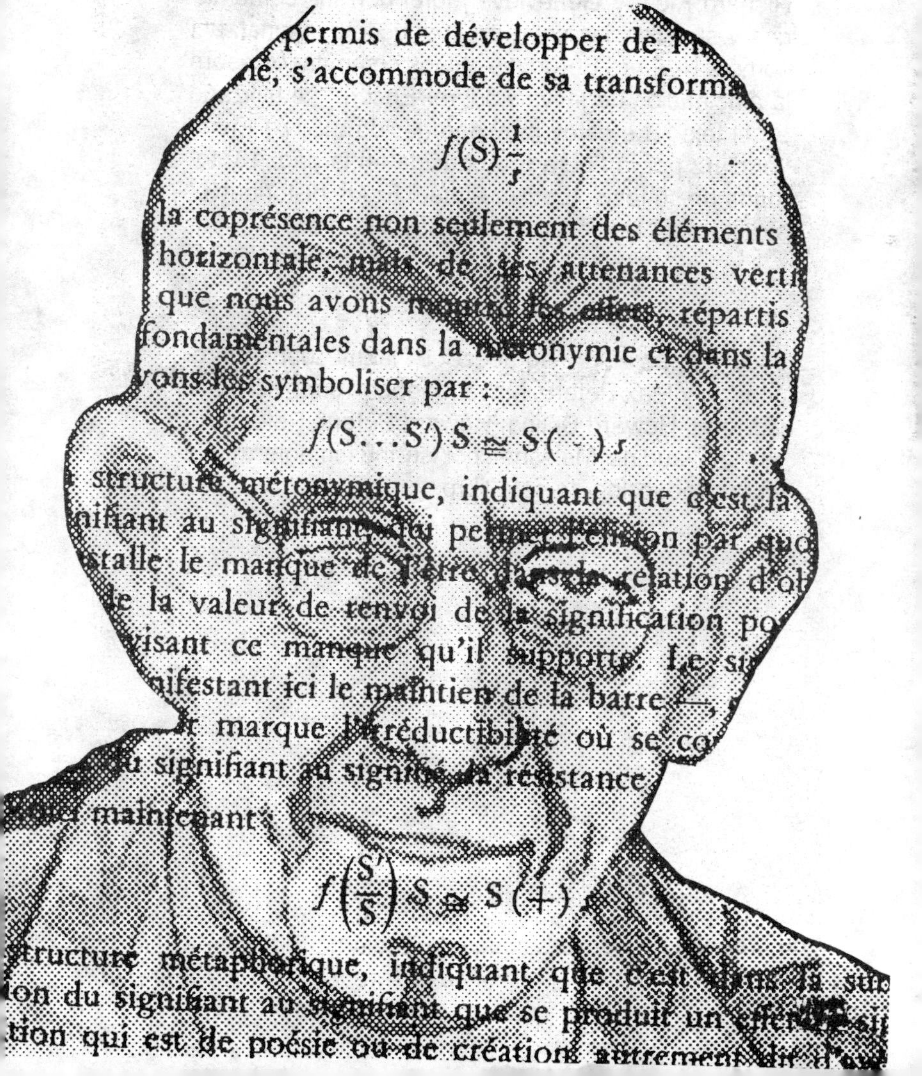

Reconocimientos

El enfoque adoptado en este libro debe mucho a la obra de Jacques-Alain Miller, quien ha aclarado y explicado muchos puntos a menudo difíciles y en apariencia oscuros, y ha puesto el acento en la perspectiva histórica para examinar el desarrollo del pensamiento de Lacan. Quiero agradecer a Anne Dunand, Richard Klein y Geneviève Morel por sus comentarios y sugerencias sobre mi manuscrito original, así como a Bernard Burgoyne, cuyos comentarios sobre la alucinación negativa y sobre "Encore" he utilizado en el texto. Le estoy muy agradecido a Silvia Elena Tendlarz por la figura reproducida en la pág. 13, tomada de su tesis, "Le cas Aimée: Étude historique et structurale", Universidad de París VIII, 1989.

—Darian Leader

Judy Groves quiere agradecer a Naomi Lobbenberg, Joanna y Max Peters, Maya Magoga-Aranovich, David King, Howard Selina, Howard Peters, Peter Groves y Claudine Meissner por su inestimable ayuda en la producción de este libro.

Los autores

Darian Leader trabaja como psicoanalista en Londres y Leeds. Es catedrático de Estudios Psicoanalíticos en la Universidad Metropolitana de Leeds y profesor del programa de licenciatura en psicoanálisis de la Universidad Brunel, de Londres. Ha escrito un libro sobre la sexualidad titulado ***Why Do Women Write More Letters Than They Post?***, publicado por Faber and Faber. Es miembro de la Escuela Europea de Psicoanálisis.

Judy Groves es pintora, diseñadora gráfica e ilustradora. Anteriormente ilustró para esta serie de Icon Books los libros ***Jesus for Beginners*** y ***Wittgenstein for Beginners***, y en la actualidad trabaja en otro libro de la serie: ***Chomsky for Beginners***.

Silvia Elena Tendlarz, psicoanalista argentina, docente en el Departamento de Psicoanálisis de la Universidad de Paris VIII (creado por Lacan), revisó esta traducción junto con el autor en Londres. Es autora de ***La letra como mirada. Cultura y Psicoanalisis.***

Nota sobre el texto

En este libro hemos intentado exponer la obra de Jacques Lacan. El contenido de las leyendas no corresponde a citas textuales, salvo en los casos en que se usaron comillas. Análogamente, los ejemplos clínicos sólo son del propio Lacan cuando así se lo aclara expresamente.

Publicaciones de Lacan:

• Lacan publicó su famosa colección de artículos en el libro ***Ecrits*** en 1966 (Seuil, París), que fue publicado por primera vez en español en 1975 como *Escritos 1 y 2* (Nueva Visión, Argentina); pero existe una versión corregida y aumentada de 1985.

• Jacques-Alain Miller editó los seminarios de Lacan; hasta ahora fueron publicados nueve en francés, ocho de los cuales fueron traducidos al español y publicados con el tìtulo general ***El Seminario de Jacques Lacan:***

Libro 1: "Los escritos técnicos de Freud", traducido por Rithée Cevasco y Vicente Mira Pascual y revisado por Diana Rabinovich (Paidós, 1981).

Libro 2: "El yo en la teoría de Freud y en la técnica psicoanalítica", traducido por Irene Agoff y revisado por Diana Rabinovich (Paidós, 1983).

Libro 3: "Las psicosis", traducido por Juan Luis Delmont-Mauri y Diana Silvia Rabinovich (Paidós, 1984).

Libro 4: "La relación de objeto", traducido por Enric Berenguer (Paidós, 1994).

Libro 7: "La Etica del psicoanálisis", traducido por Diana Rabinovich (Paidós, 1988).

Libro 11: "Los cuatro conceptos fundamentales del psicoanálisis", traducido por Juan Luis Delmont-Mauri y Julieta Sucre y revisado por Diana Rabinovich (Paidós, 1987).

Libro 17: "El reverso del psicoanálisis", traducido por Enric Berenguer y Miquel Bassols (Paidós, 1992).

Libro 20: "Aun", traducido por Diana Rabinovich, Delmont-Mauri y Julieta Sucre (Paidós, 1981).

• Los ***Escritos*** resultan más fáciles de leer luego de estudiar los seminarios. Numerosos artículos de Lacan aparecieron en publicaciones del medio psicoanalítico. Indicaremos algunas de ellas.

• Hay una traducción española de su tesis doctoral en psiquiatría de 1932: ***De la psicosis paranoica en sus relaciones con la personalidad*** (Siglo Veintiuno, México, 1976). Este libro incluye algunos de sus primeros escritos sobre la paranoia.

• Una recopilación de sus artículos fueron publicados en Jacques Lacan, ***Intervenciones y textos 1*** (Manantial, Buenos Aires, 1985); ***Intervenciones y textos 2*** (Manantial, Buenos Aires, 1988) y ***Reseñas de enseñanza*** (Manantial, Buenos Aires, 1984). También fue publicado como libro ***Psicoanálisis, Radiofonía y Televisión*** (Anagrama, Barcelona, 1977).

• Pueden encontrarse otras traducciones en: ***Ornicar?*** 1 y 3 (1981); ***Escansión*** 1 (1984); J. Lacan y otros, ***Momentos cruciales de la experiencia analítica*** (Manantial, Buenos Aires, 1987); ***Escansión Nueva Serie*** 1 y 2 (1988 y 1990); ***El Analiticón*** 1-4 (1986-87); ***Freudiana*** 4-8 (1992-93); ***Uno por Uno*** 38-42 (1994-95); ***Estudios Psicoanalíticos*** 2 (1994); ***Nueva Biblioteca de Psicoanálisis*** 1 (1995).

Otros libros de Psicología de esta colección

Freud para Principiantes
Richard Appignanesi - Oscar Zárate

Gestalt para Principiantes
Sergio Sinay - Pablo Blasberg

Jung para Principiantes
Maggie Hyde - Michael McGuinness

Melanie Klein para Principiantes
Robert Hinshelwood - Susan Robinson
Oscar Zárate

Piaget para Principiantes
Adriana Serulnikov - Rodrigo Suárez

Psicoanálisis para Principiantes
Ivan Ward - Oscar Zárate

Psicología para Principiantes
Ricardo Bur - Lucas Nine

Reich para Principiantes
David Mairowitz - Germán González